Kinderverhalen rond Kerstmis

illustraties van
Sandra Klaassen

kinderverhalen
rond
Kerstmis

Uitgeverij Holland – Haarlem

Bronvermelding

DE GEBOORTE VAN JEZUS (Georgie Adams) verscheen eerder in
Verhalen uit de Bijbel, Kluitman, Heerhugowaard, 1994
HET KERSTBOOMPJE OP DE HEI (Hans Andreus) verscheen eerder in
Kinderverhalen, Uitgeversmaatschappij Holland, Haarlem, 1963
EEN KERSTVERHAAL (Paul Biegel) verscheen eerder in
De toverhoed, Uitgeversmaatschappij Holland, Haarlem, 1979
HET LAATSTE VERHAALTJE, KERSTFEEST, KLOKJES (Mies Bouhuys) verschenen
eerder in *Het verdwenen raam*, Uitgeversmaatschappij Holland, Haarlem, 1978
DE OPSTAND DER FIETSEN (Remco Campert) verscheen eerder in
Kinderverhalen, Uitgeversmaatschappij Holland, Haarlem, 1984
DE SNEEUWBOOM (Mieke van Hooft) verscheen eerder in
Roza je rok zakt af, Uitgeversmaatschappij Holland, Haarlem, 1997
HET KERSTKONIJN (Harriet Laurey) verscheen eerder in
Dierenverhalen, Uitgeversmaatschappij Holland, Haarlem, 1975
KERSTLIEDJE (Bas Rompa) verscheen eerder in
Binnenste Buiten, Uitgeversmaatschappij Holland, Haarlem, 1986
DE KERSTBOOM VAN DAAN (Diet Verschoor) verscheen eerder in
Kinderverhalen rond Kerstmis, Uitgeversmaatschappij Holland, Haarlem, 1990

Omslagtypografie: Ingrid Joustra

© Uitgeversmaatschappij Holland – Haarlem, 1998

ISBN 90 251 0797 4
NUGI 220

Dit boek is gedrukt op milieuvriendelijk, chloorvrij gebleekt en verouderings-
bestendig papier.

Inhoud

Leny van Grootel

Versje bij de kerststal

Het allerkleinste herdertje,
die herder noem ik Ton.
Ik wou dat ik een keertje
met hem praten kon.
Ik zou vertellen over school,
en hij over zijn schapen,
en ik zou vragen hoe het is
om in een stal te slapen.
En of de kleine Jezus huilde
in die stille nacht,
en of hij écht een engel zag
of het alleen maar dacht?

Het allerkleinste herdertje,
hij lacht maar zegt geen woord.
Toch is het net alsof hij
al mijn vragen heeft gehoord…

Georgie Adams

De geboorte van Jezus

Het gebeurde in de tijd dat keizer Augustus regeerde over het Romeinse Rijk. Ook het land van Israël was veroverd door de Romeinen. Keizer Augustus wilde weten hoeveel onderdanen er in zijn rijk woonden. Omdat alle mensen uit het Romeinse Rijk geteld moesten worden, kreeg iedereen het bevel om naar de stad te gaan waar hij geboren was. De wegen waren dan ook vol met mannen, vrouwen en kinderen die allemaal op reis waren naar hun geboorteplaats.

Ook Jozef en Maria waren op weg. Ze gingen naar Bethlehem. Jozef was een timmerman uit Nazareth en Maria was zijn vrouw.

Maria zat op een ezel. Ze was veel liever thuisgebleven, want ze was in verwachting. Maria verwachtte een heel bijzondere baby.

De engel Gabriël was bij Maria gekomen en had gezegd: 'Wees gegroet, Maria. God heeft jou uitgekozen om de moeder van zijn Zoon te worden. Het kindje moet je Jezus noemen.'

Maria was heel dankbaar dat God haar had uitgekozen voor zo'n belangrijke taak.

Het was erg druk in Bethlehem toen Maria en Jozef daar aankwamen. Ze waren moe en hongerig na hun lange reis. De ezel trouwens ook. Ze gingen regelrecht naar een herberg. Daar wilden ze een kamer huren, zodat ze eindelijk konden eten en slapen.

'Het spijt me,' zei de herbergier. 'Maar we hebben geen slaapplaats meer. Mijn herberg zit helemaal vol.'

In de herberg was geen plaats! Jozef schrok. Waar moesten ze dan overnachten? De baby van Maria kon elk moment geboren worden.

Laat op de avond vonden ze eindelijk een plekje om te slapen. Het was een stal, want iets beters was er niet. De eigenaar zag wel dat Jozef en Maria wanhopig waren en had medelijden met hen. Hij verhuisde zijn dieren naar de ene hoek van de stal, zodat Maria en Jozef in de andere

hoek konden slapen. Maria ging in het stro liggen, terwijl de ezel stond te eten uit een houten voerbak, de kribbe. Jozef stak een olielampje aan en hiel zijn vrouw bezorgd in de gaten.

Niet veel later, in het schijnsel van de lamp, werd het kindje geboren. Maria noemde hem Jezus, zoals de engel Gabriël tegen haar had gezegd. Ze hadden geen kleertjes voor Jezus, daarom wikkelde Maria een paar doeken om hem heen en legde hem in de kribbe, in het stro.

Diezelfde nacht zaten er herders in de heuvels rond Bethlehem. Ze hielden de wacht bij hun kudde.

Het was een koude, donkere nacht. De herders sloegen hun mantels stevig om zich heen en hielden scherp in de gaten of er geen wilde dieren aankwamen.

Plotseling verscheen er een helder stralend licht overal om hen heen. Het was alsof midden in de nacht opeens de zon en de maan tegelijk begonnen te schijnen.

De herders schrokken vreselijk van het licht.
Zoiets hadden ze nog nooit meegemaakt.
Opeens klonk er vanuit het heldere licht een
stem. Het was de stem van een engel.

'Jullie hoeven niet bang te zijn,' zei de engel. 'Want ik heb goed nieuws
voor jullie. In Bethlehem is zojuist de Zoon van God geboren, Jezus
Christus. Ga er maar snel naartoe, dan zullen jullie het zelf zien.'
De herders wisten niet wat ze hoorden. Ze keken elkaar vol verbazing
aan.
'De baby is gewikkeld in doeken en hij ligt in een kribbe,' vertelde de
engel.
Meteen nadat de engel gesproken had, zagen de herders dat de hemel
vol engelen was, die allemaal prachtig zongen. 'Ere zij God, ere zij
God!' Het leek wel of de hele hemel zong.
Toen werd het licht zwakker en de engelen verdwenen in de nacht.
De herders bleven nog een hele tijd naar de hemel kijken, maar de en-
gelen kwamen niet meer terug.
'We moeten naar Bethlehem,' zeiden ze tegen elkaar.
De herders namen hun schapen mee en gingen haastig op weg naar
Bethlehem, op zoek naar het pasgeboren kindje waar de engel over had
verteld.

Paul Biegel

Het kerstfeest van de kippen

Vlak achter de dijk van de rivier lag de boerderij van Ammeltje. Het was een oude boerderij met een rieten dak dat bijna tot de grond hing, en hij was natuurlijk niet van Ammeltje zelf, maar van haar vader en moeder. Net als alle dieren die er woonden: die waren ook van vader en moeder. Maar Ammeltje zei altijd *mijn* boerderij en *mijn* koeien en *mijn* geiten en *mijn* paard en *mijn* kippen, want ze hield verschrikkelijk veel van dieren. Op haar kamertje had ze een kom met goudvissen en een bak met witte muizen; en het vorig jaar zelfs een pot met een kikker erin – maar die moest terug in de sloot, had moeder gezegd, het arme beest! 'Helemaal niet arm!' had Ammeltje geroepen. 'Je vond het fijn bij mij, hè kikker?'

Misschien was dat wel waar: je kon zien dat de dieren ook van Ammeltje hielden. De poes sprong altijd alleen bij haar op schoot, de oude brompot Hannes, die al twaalf jaar waakhond op het erf was, kwispelde tegen niemand behalve tegen Ammeltje, de koeien in de stal staken hun kop met snuivende neus naar haar toe, en de kippen liepen altijd achter haar aan. Ammeltje moest het hek goed dicht doen als ze naar school ging, anders zouden de kippen en de haan met haar meelopen tot in de klas.

Maar op een nacht in de winter kwam de rode vos, drong het kippenhok binnen en pakte een van de kippen. Ammeltje ontdekte het de volgende morgen toen ze kwam voeren. 'Henriëtta!' riep ze. 'Henriëtta, waar ben je?' Maar er lagen alleen wat veren in het rond, en de sporen van de dief stonden in het zand.

'Gemenerd!' riep ze.

'Gemene vos!'

Vader spande gaas voor het gat waardoor de rooie vos was binnengekomen, maar

de volgende nacht sprong de vos door het kapotte raampje naar binnen en pakte weer een kip. 'Geertruida!' snikte Ammeltje de volgende morgen. 'Geertruida is weg!'

Vader repareerde het kapotte raampje, maar de derde nacht groef de vos een nieuwe kuil onder het gaas door en... 'Cornelia!' huilde Ammeltje. 'Die gemene vos! Schiet hem dood, vader. Schiet hem vannacht nog dood!'

Vader ging op de loer staan met zijn geweer, de hele nacht, maar de vos kwam niet. Ammeltje vertelde het aan Juf op school.

'Wat verschrikkelijk kind, wat verschrikkelijk,' zei Juf. 'En nu slaapt je vader zeker overdag omdat hij 's nachts moet waken?'

Ammeltje knikte, maar ze wist het eigenlijk niet zeker, en omdat Juf begon te vertellen over Kerstmis, dacht ze er verder niet over.

'Kerstmis,' zei Juf, 'is het feest van de geboorte en van het nieuwe licht. Vanaf Kerstmis komt de zon elke dag iets hoger aan de hemel en gaat iets later onder, zodat de dagen langer worden voor de lente en de zomer. Maar Kerstmis is vooral het feest van de vrede. Met Kerstmis zijn we allemaal weer goed met elkaar. We vergeten ruzies en boze gedachten en kwaaiigheid en gemene dingen. En zo moet het blijven.'

Moeder had een kerstboom gekocht en Ammeltje mocht helpen de boom te versieren. Mooi, mooi met slingers en ballen en heel veel kleur. Het was een grote dit jaar; de piek reikte bijna tot aan de zoldering, maar nog mooier was de extra verrassing die moeder speciaal voor Ammeltje had meegebracht: nóg een kerstboom, een kleintje, voor Ammeltje op haar eigen kamer. Het was een Pools dennenboompje in een pot met aarde, zodat het later in de tuin kon worden gezet. Ammeltje versierde het met zilveren engelenhaar en één grote rode bal. Zo mooi, zo mooi, ze lag ernaar te kijken vanuit haar bed, en het leek wel of er lichtjes in zaten. Of was dat de maan die op het engelenhaar schitterde? En nu stond de boom ineens niet meer naast haar bed, maar in het kippenhok, en alle kippen zaten eromheen. En daar was ook de vos! Hij zat heel lief en vriendelijk tussen ze in, met zijn dikke staart gezellig om Henriëtta en Geertruida en Cornelia geslagen. Ze vierden Kerstmis met elkaar en de haan sprak op plechtige toon:

'Vrede, vrede!' Hij stond onder de kerstboom en ging voort: 'Wij moeten ophouden met ruzie en boze gedachten en kwaaiigheid en gemene dingen. In vrede moeten wij naast elkaar voortleven, en zo zal het blijven onder de zon die steeds lichter gaat worden.' De vos knikte en beloofde dat hij nooit meer een kip zou pakken, en de haan kraaide allerplechtigst, en de dieren zongen met elkaar een kerstlied:

Kukeleku, waf-waf, tok-tok, stop!
Nooit meer eten wij elkander op!

'Jaaa!' riep Ammeltje. 'Jaaa jaah!' En ze werd wakker van haar eigen stem, want het was een droom geweest. Kerstfeest van de kippen, wat een droom, wat een droom! Ze vertelde het aan haar moeder en die moest lachen. 'Nou nou,' zei ze. 'Dat zou wat zijn! Je arme vader heeft weer de hele nacht bij het hok op de loer gestaan. Weer voor niks. En nou is hij ziek!'
'Ziek?' vroeg Ammeltje geschrokken.
'Kou gevat,' zei moeder. 'Hij ligt op bed.'
Ammeltje hoorde hem hoesten. De hele dag bleef vader hoesten en piepen en hijgen. Hij had koorts. Maar 's avonds kwam vader toch in de kamer, met een warme deken om zich heen, om kerstavond te vieren. Moeder stak de kaarsjes in de boom aan. Ze deed het heel voorzichtig want het waren echte kaarsjes. Ze had wel drie lucifers nodig om ze allemaal te laten branden, alle twaalf, maar je zag wel honderd lichtjes, want de vlammetjes werden glimmend weerkaatst in de versieringen. Zo mooi, zo mooi. Ammeltje zong kerstliedjes en vader dronk hete thee met citroen, en zo was het toch gezellig. Ammeltje mocht opblijven tot vader weer naar bed ging, uche-uche, met een rood hoofd van de koorts. Maar toen riep ze opeens: 'De vos!'
'Ja kind,' zei moeder. 'Niks aan te doen. Vader is ziek. Laten we maar hopen dat die smeerlap niet komt.'
'Ja maar, ja maar! De kippen dan? De kippen?' Ammeltje beefde helemaal tot ze ineens bedacht: 'Ik weet wat, ik weet wat! Ik neem ze op mijn kamer, alle kippen op mijn kamer. Daar kan de vos niet komen!'

Moeder schudde haar hoofd. 'Meidje toch, ben je niet wijs. Je hebt al meer dan genoeg beesten op je kamer. Daar komt niks van in!'
Ammeltje begreep dat wel, maar ze was radeloos. Zou zij gaan waken bij het hok? Geen sprake van, ze moest naar bed en slapen, maar slapen kon ze niet. Ze lag te woelen onder de dekens en te denken en te denken. Het was ook veel te licht op haar kamer, want de maan scheen door een kier in de gordijnen naar binnen. Zijn zilveren licht viel op het Poolse kerstboompje en deed het engelenhaar en de grote bal fonkelen alsof er kaarsen in brandden. Ammeltje lag ernaar te kijken en opeens wist ze het: haar droom! Dat was het! Ze moest gewoon haar kerstboompje in het kippenhok neerzetten. Als de vos dan kwam, zou hij met de kippen het feest van de vrede vieren in plaats van ze te pakken en op te eten. Ze hoefde er niet langer over na te denken. Ze gleed uit haar bed, kleedde zich zachtjes aan, nam het versierde boompje en sloop ermee naar buiten. Voetje voor voetje liep ze in het maanlicht over het erf naar het kippenhok. Voorzichtig deed ze het deurtje open en fluisterde 'Ssst!' tegen de kippen, die onrustig werden op hun stok.

'Zitten blijven! Ik ben het, Ammeltje. Hier is een kerstboom voor jullie.'

De kippen hielden hun kop scheef en tokten zachtjes, terwijl Ammeltje de pot met het boompje onder het raam op de grond zette. Zo scheen de maan er prachtig op; het engelenhaar en de rode bal schitterden mooier dan bij kaarslicht. 'Alsjeblieft lieve kippen,' fluisterde Ammeltje. 'Als de vos straks komt, moeten jullie met elkaar Kerstmis vieren; dan wordt het vrede tussen jullie.' Ze liet de deur van het hok op een kiertje open; dan hoefde de vos niet te klimmen of te springen of te graven. Vrede op aarde, dacht Ammeltje, en ze sloop terug naar haar kamertje, kroop in bed en sliep rustig in.

Moeder moest Ammeltje wakker schudden, de volgende morgen. 'Juffrouw Slaapkop!' riep ze. En toen: 'Maar meidje, waar is je kerstboom gebleven? Wat heb je ermee gedaan?'

Ammeltje knipperde met haar ogen. Toen wist ze het weer en vertelde het. Moeder schrok ontzettend. 'Ben je helemaal niet wijs?' riep ze. 'En het hok open laten staan ook nog? Nu zijn ze allemáál weg natuurlijk, alle kippen!'

Ammeltje begon te huilen. Moeder ging meteen kijken. Ammeltje holde achter haar aan, en terwijl moeder telde één, twee, drie, vier, telde Ammeltje: Jacinta, Daniëla, Kiki, Fanneke, Anoek... en toen zag ze, door haar tranen heen, dat alle kippen er nog waren. Allemaal!

Maar de vos was er ook geweest! Zijn sporen stonden duidelijk in het zand, en liepen precies tot aan het kerstboompje. 'Zie je wel, zie je wel, zie je wel!' riep Ammeltje. 'Hij heeft Kerstmis gevierd, de rooie, samen met de kippen, en er geeneen opgegeten!'

Vader kwam ook kijken. Hij voelde zich gelukkig weer wat beter. 'Zo'n meidje toch!' zei hij. 'Jammer van die mooie kerstbal.'

Ammeltje zag het nu pas. Het zilveren engelenhaar hing nog keurig in slingers tussen de takken, maar de rode bal was weg. Hij lag aan gruzelementen onder de boom. 'Dat moet een knal gegeven hebben,' mompelde vader. 'Dat heeft het hem gedaan natuurlijk...'

Ammeltje begreep niets van wat hij zei. 'Ze hebben echt Kerstmis gevierd!' riep ze. 'Maar het zijn beesten. En die doen het te hard. Daardoor is die bal gebroken.' Ze vond het niet zo heel erg, want er was niets met de kippen gebeurd.

's Middags hoorde ze hoe vader het gebeurde aan de buren vertelde: 'Die vos is natuurlijk eerst aan dat vreemde boompje gaan snuffelen. En door dat gezeul ermee is die bal los gaan zitten en viel eruit. Dat geeft me een knal! Dat beest heeft de schrik van zijn leven gekregen. Die komt nooit meer terug.'

Nu was het Ammeltjes beurt om te lachen. Echt iets voor grote mensen, dacht ze. Die begrijpen er niks van…

Van Paul Biegel zijn onder andere de volgende boeken verkrijgbaar:

Het sleutelkruid
Ik wou dat ik anders was
De tuinen van Dorr
De dwergjes van Tuil (4 delen)
De kleine kapitein (3 delen)
Het olifantenfeest
Jiri, de krokodillenjager
De brieven van de Generaal
De rover Hoepsika
Haas (2 delen)
Reinaart de Vos
Het stenen beeld
De twaalf rovers

De zwarte weduwe
De vloek van Woestewolf
De rode prinses
Anderland
Het lapjesbeest
Juttertje Tim
Nachtverhaal
De soldatenmaker
Het beleg van Troje
De karabijn
Het ijzeren tapijt
De zwerftochten van Aeneas

Anne Takens

Midden in de winternacht

In het Noordenland stond midden in de bossen een wit huisje met een rood dak. Daar woonden een vader, een moeder, een kind en een klein bruin hondje. De vader werkte in de moestuin, de moeder zorgde voor het kind en het hondje deed waar het zelf zin in had. Ze waren gelukkig en tevreden en ze wilden dat het altijd zo zou blijven.

Op een middag klopte er een oud vrouwtje aan de deur. Haar wangen waren zo rood als sterappels en haar ogen zo blauw als de zee. Ze vroeg om een boterham en de moeder gaf haar een paar warme broodjes met honing en zelfgemaakte bramenjam. Nadat het vrouwtje alles op had, bedankte ze hartelijk en toverde een harp te voorschijn. Met een glimlach op haar gezicht zei ze:

'Deze harp brengt geluk. Speel vadertje! Speel!'

Aarzelend streek de vader met zijn vingers over de snaren en plotseling was de kamer vol prachtige muziek. Het hondje spitste zijn oren, het kind klapte in zijn handen en de moeder riep verbaasd:

'Lieve man! Ik wist niet dat je harp kon spelen! Van wie heb je dat geleerd?'

'Van niemand…' zei de vader beduusd.

Hij keek om. De voordeur stond open. De gouden herfstzon scheen naar binnen. Het vrouwtje was verdwenen.

Vanaf die dag ging de vader elke morgen met zijn harp op zijn rug naar het dorp. Op het marktplein speelde en zong hij liedjes over de zomer en de zon en het meest over de liefde. Zodra de mensen de harp hoorden, kwamen ze uit hun huizen. Ze vonden de muziek zo prachtig dat ze er kippenvel van kregen en ze vergaten al hun zorgen en verdriet. Als het spel uit was, riepen ze: 'Meer! Meer!' en dan speelde en zong de vader weer door, net zo lang tot zijn vingers pijn deden en zijn stem een beetje schor werd.

Op een dag hoorde hij de mensen op het marktplein fluisteren:

'Beroemd... Die man wordt beroemd... Niemand speelt zo betoverend als hij...'

Beroemd? dacht de vader. Wat is dat?

Die avond vroeg hij het aan zijn vrouw. Ze zaten in de kamer bij de warme kachel. Het kind sliep in zijn bed en het hondje lag languit te snurken op de vloer.

'Wat is beroemd?' vroeg de vader.

'Dat weet ik niet,' zei de moeder.

Ze werd bang, maar ze wist niet waarom.

's Nachts droomden ze dezelfde droom. Ze waren verdwaald in een groot donker bos. Het was winter, het sneeuwde, en nergens was een plek om te schuilen. Ze huilden in hun slaap en toen ze wakker werden, kusten ze elkaar en lachten en zeiden: 'Gelukkig. Het was maar een droom!' En de moeder vroeg: 'Blijf je altijd bij mij?'

De vader knikte en keek naar zijn harp, die in een hoek van de kamer stond. De snaren glinsterden geheimzinnig in het maanlicht...

De volgende morgen schrokken ze wakker door het gehinnik van paarden en gebons op het raam. Vlug lieten ze zich uit bed glijden, schoten in hun kleren en renden naar de voordeur.

Twee mannen in deftige rode pakken! Ze keken de vader glimlachend aan en vroegen:

'Bent u de beroemde harpspeler?'

'Eh... Nee... ja...' zei de vader verlegen.

De mannen maakten een diepe buiging en zeiden:

'Wij zijn de lakeien van de koning! U moet onmiddellijk mee naar het paleis! De koning wil uw harpspel en uw liedjes horen!'

De vader voelde zijn hart bonzen. Op de stoep zag hij een gouden koets met zes zwarte paarden ervoor. Ze briesten en schraapten ongeduldig met hun hoeven over de stenen. De vader kreeg het warm en koud tegelijk en zacht vroeg hij:

'Hoe lang wil de koning dat ik blijf?'

'Twintig dagen en twintig nachten,' antwoordden de lakeien.

'O nee!' riep de moeder. 'Zo lang kunnen wij vader niet missen!'

De lakeien bogen diep en zeiden:

'Het moet, mevrouw. Het is een bevel van de koning.'

Zwijgend pakte de vader zijn harp.

'Zal ik een logeerkoffer voor je inpakken?' vroeg de moeder, maar de lakeien bij de deur riepen:

'Dat hoeft niet! In het paleis krijgt hij een gouden tandenborstel en een pyjama van satijn.'

'Poeh! Wat deftig!' riep de moeder en boos beet ze op haar onderlip.

De vader sloeg zijn armen om haar heen en fluisterde in haar oor:

'Ik ga veel geld verdienen bij de koning. Voor ons kind koop ik een gouden bal, voor ons hondje een gouden halsband en voor jou breng ik een gouden ketting mee.'

'Ik hoef geen goud,' zei de moeder. 'Ik wil jou. Alleen jou. Beloof me dat je terug bent op kerstavond.'

'Dat beloof ik...' zuchtte de vader.

Toen kuste hij zijn kind en zijn vrouw. Het hondje kreeg een aai over zijn kop. Een beetje gebogen liep hij naar buiten, de harp op zijn rug. De lakeien hielpen hem in de koets en stapten zelf ook in. De koetsier klakte met zijn tong en de paarden begonnen te draven. De vader keek door het raampje. Hij zwaaide naar zijn vrouw en zijn kind en zijn kleine bruine hondje. Roerloos stonden ze voor het huisje.

'Op kerstavond ben ik terug!' wilde hij roepen, maar zijn stem deed het niet meer. Er zaten te veel tranen in zijn keel.

In het paleis was alles van goud en zilver en alles schitterde en glinsterde in het licht van tienduizend kaarsen. Zodra de koning de vader zag, omhelsde hij hem. Hij vertelde dat hij de laatste tijd zo treurig was en dat hij hoopte dat het spel van de harp hem weer vrolijk zou maken. De vader kreeg een nieuwe jas en nieuwe schoenen en de koning liet hem de logeerkamer zien. Er stond een hemelbed met gordijnen van rood fluweel en op het donzen dekbed lag een pyjama. Hij was blauw en zacht. Hij was van satijn.

Elke dag zat de vader op een krukje naast de troon van de koning en als hij speelde en zong, stonden alle mensen in het paleis stil om te luisteren. Zelfs de muizen in de kelder hielden hun adem in en de koning op zijn troon deed zijn ogen dicht en glimlachte van geluk.

De vader werd erg verwend. Steeds liepen er lakeien om hem heen met schalen vol koekjes, bonbons, zuurtjes en noten en hij kon limonade of koffie drinken zoveel hij maar wilde. Het leek wel een verjaardag zonder einde. Tijdens het diner werden de heerlijkste gerechten opgediend: parelhoen in wijnsaus, gebraden eend met champignons, gebakken krieltjes die dropen van het vet en roomijs met warme kersen, en bij elk nieuw gerecht zei de koning:

'Geniet maar, harpspeler! Thuis heb je dat lekkere eten niet!'

Dan zuchtte de vader en dacht aan zijn huisje in het bos en aan de geur van uien en wortels, die altijd in de keuken hing en van alles nam hij maar een piepklein hapje, omdat zijn buik vol heimwee zat.

Elke avond bracht de koning hem naar zijn kamer en bij het afscheid voor de deur gaf hij hem een zak met geld en zei:

'Eerlijk verdiend, harpspeler. Je maakt me gelukkig. Kijk eens naar mijn ogen? Zien ze er niet veel blijer uit? Kijk eens naar de rimpels in mijn voorhoofd? Zijn ze al een beetje weg?'

Dan knikte de vader en boog voor de koning en wenste hem welterusten. In zijn kamer keek hij door het raam naar de maan en de sterren en naar de donkere bosrand in de verte en op zijn vingers telde hij hoeveel dagen het nog duurde voor hij naar huis mocht gaan.

Soms huilde hij zichzelf in slaap.

Op een ochtend werd hij wakker met een vrolijk gevoel in zijn hart. Vandaag mocht hij naar huis! Vol verlangen dacht hij aan de gouden koets, die hem thuis zou brengen. De zakken met geld zette hij alvast klaar naast de deur. Het waren er negentien! Hij was rijk!

Na het ontbijt speelde en zong hij nog mooier dan anders, maar toen de klok in de hal van het paleis elf uur had geslagen, keek hij naar de koning op en zei:

'Majesteit! Vandaag is het de laatste dag dat ik voor U spelen mag.'

'De laatste dag?' vroeg de koning verbaasd.

'Ja, majesteit! Vandaag is het de twintigste dag. Vanmiddag ga ik naar huis, want morgen is het Kerstmis.'

De koning knielde bij de harpspeler neer en smeekte:

'Blijf bij me! Blijf alsjeblieft, harpspeler! Ik kan je niet missen! Ik zal je een paard geven zo wit als melk en zo snel als een hert, als je maar voor me wilt spelen met Kerstmis.'

De vader schudde zijn hoofd en zei:

'Thuis heb ik een vrouw en een kind en een klein bruin hondje. Ik heb beloofd om op kerstavond terug te zijn.'

De koning kreeg tranen in zijn ogen en riep:

'Blijf, harpspeler! Ik zal je mijn toverezeltje geven. Als je aan zijn staart trekt, daalt er een regen van goud en zilver voor je neer.'

'Ik hoef geen zilver. Ik wil geen goud,' zei de vader.

De koning omhelsde hem en fluisterde:

'Lieve harpspeler! Als je bij me blijft, mag je op mijn troon zitten! Dan maak ik je onderkoning van mijn hele land!'

De vader kreeg het warm. Onderkoning worden? Nee, dat wilde hij niet! Hij griste zijn harp mee en rende weg, de gangen door, naar buiten! Verbaasd keken de lakeien hem na. Ze begrepen niet waarom hij zo'n haast had. Niemand hield hem tegen. In de paleistuin kroop hij door een gat in de heg en zo snel als de wind holde hij over wegen en paden. Steeds keek hij achterom. Kwam de koets eraan? De koets met de lakeien? Nee, alles bleef stil. Uit de donkere wolken begon het voorzichtig te sneeuwen. Kleine witte vlokjes dwarrelden neer en het was of ze fluisterden:

'Harpspeler! Ga terug! Sneeuw zal er vallen. Veel sneeuw. Bedenk goed wat je doet. Je gaat een moeilijke reis tegemoet...'

De vader ving een sneeuwvlok op zijn hand en dacht:

Ik ga verder. Ook al valt er nog zo veel sneeuw, ik ga naar mijn vrouw en mijn kind en mijn kleine bruine hondje.

Het begon harder te sneeuwen en na een poos waren alle heuvels en dalen bedekt met een dik wit tapijt. De vader leek op een wandelende sneeuwpop. Hij kwam in een diep, donker bos en de wind fluisterde:

'Harpspeler, wees toch wijs! Ga terug naar het paleis!'

De vader sjokte voort door de sneeuw en dacht aan de koning, die lieve koning, die zo vrolijk was geworden van zijn muziek. Hij dacht aan zijn zachte hemelbed en aan de zakken vol geld, die hij in zijn kamer had laten staan. Hijgend veegde hij de sneeuw uit zijn ogen en hardop riep hij in het stille bos:

'Nee, ik ga niet terug. Op kerstavond moet ik thuis zijn. Dat heb ik beloofd...'

De vader zwoegde voort. Hij had honger. De harp woog zwaar op zijn rug. Hij dacht aan zijn vrouw en aan de droom die ze samen droomden. Over dat ze verdwaald waren in een groot donker bos.

Hij zakte weg in de sneeuw en viel voorover. Een zwarte vogel vloog klapwiekend en schreeuwend voorbij. De vader was zo moe. Hij wilde slapen, slapen... Urenlang...

Maar ineens begon in zijn hoofd een stem te zingen. Het was zijn eigen stem, die een kerstlied zong:

Midden in de winternacht, ging de hemel open
Die ons 't heil der wereld bracht, antwoord op ons hopen
Elke vogel zingt zijn lied
Herders waarom zingt gij niet?
Laat de citer slaan, blaast de fluiten aan,
Laat de bel, laat de trom, laat de beltrom horen
Christus is geboren.

Plotseling hield het op met sneeuwen. Er was licht in het bos. De vader keek op. Hij zag een wit huis met een rood dak. Uit de schoorsteen kringelde een beetje rook. De voordeur sprong open. Een klein bruin hondje rende blaffend naar hem toe en jankte zacht. Even later voelde de vader twee armen om zich heen en iemand kuste zijn koude wangen. Het was de moeder. Zijn vrouw. Ze nam hem mee, het huis in, naar de warmte van de kachel. Het kind klom op zijn schoot en het hondje wilde er ook bij. De moeder schonk een kom soep voor hem in. Ze huilde en lachte tegelijk en zei:

'Ik ben zo blij dat je er weer bent!'

'Ik heb het beloofd,' zei de vader met een zucht.

Toen hij zijn soep op had, pakte hij zijn harp. En heel zacht en mooi speelde hij het lied dat hij in het bos in zijn hoofd had gehoord:

Midden in de winternacht, ging de hemel open

Het kind klapte in zijn handen, het hondje blafte en de moeder zong mee.
De volgende ochtend, heel vroeg, stopte er een koets voor het huis. De vader sliep nog. De moeder deed de deur open. Een lakei droeg twintig zakken naar binnen. Twintig zakken vol geld. Er was een witte brief bij, met het gouden stempel van de koning erop. Met een diepe buiging vertrok de lakei. De moeder vouwde de brief open en las:
'Beste harpspeler. Dank je wel voor je spel. Veel geluk.'
Ze glimlachte en toen stak ze in de kerstboom alle kaarsjes aan.
De lichtjes straalden in het donker. Heel ver weg begonnen de klokken te luiden. Het was Kerstmis.

Van Anne Takens zijn de volgende boeken verkrijgbaar:

Grijsje Eigenwijsje
Twee dierenvriendjes
Een eend op de thee
Een vogel achterna
Door een gat in de wolken
Even schuilen voor het onweer

Hans Andreus

Het kerstboompje op de hei

Op een stuk hei stonden eens vier dennenbomen bij elkaar, drie tame-
lijk grote en een heel kleintje. Een van die grote dennenbomen zei:
'Het is nu wel echt gedaan met de herfst. 't wordt vinnig koud. 't Zal
mij benieuwen of ze ons dit jaar zullen meenemen als kerstboom.'
'Kerstboom?' vroeg het kleine dennenboompje. 'Wat is dat, een kerstboom?'
'O, daar hoef jij je niet mee te bemoeien,' zei de tweede grote dennenboom. 'Jij bent veel te klein om een kerstboom te zijn.'
'Best mogelijk,' zei het kleine boompje, 'maar daarom mag ik toch wel
antwoord op een beleefde vraag hebben.'
'Hoor dat brutale onderkruipsel,' zei de derde grote dennenboom.
'Maar als je 't dan zo graag weten wilt: als je een kerstboom wordt, dan
word je eerst omgehakt en mee naar de stad genomen en daar op een
gegeven moment in een huis gezet en volgehangen met allemaal versierselen…'
'En vergeet de lichtjes niet,' zei de eerste dennenboom.
'Nee natuurlijk niet. Versieringen, zoals ik dus zei, en dan krijg je allemaal kaarsjes op je takken, dat zijn lichtjes die branden kunnen en
's avonds zitten de mensen en de kinderen om je heen en zingen heel
mooie liederen.'
'De mensen zeggen altijd dat een kerstboom een prachtig gezicht is,'
zei de tweede boom. 'Daarom kiezen ze ons er ook voor uit.'
'Ja misschien is het wel mooi om een kerstboom te worden,' zei het
kleine dennenboompje, 'maar als je dat bent, kom je hier dan nooit
meer terug?'
'Nee,' zei de derde grote dennenboom, 'dat niet. Het schijnt zelfs dat
mensen je na een dag of tien weggooien of dat kinderen je verbranden
op straat. Maar toch is 't een hele eer om als kerstboom te worden ge-
kozen.'

'Ze nemen ons dit jaar vast,' zei de eerste boom. 'Verleden jaar hebben ze ons laten staan, maar nu zijn we nog met weinig – en de mensen hebben ons tenslotte nodig.'

En zo was het ook. Een paar weken later kwamen er enkele mannen die tegen elkaar zeiden dat die drie bomen nu toch maar als kerstbomen gekapt moesten worden. Dat kleintje niet natuurlijk, dat moest wachten tot het een heleboel groter was.

De bomen werden gekapt, weggedragen en op een vrachtwagen gegooid die hortend en stotend over de hei wegreed. En daar stond het kleine dennenboompje nu moederziel alleen. Het voelde zich plotseling zo treurig worden dat het begon te huilen.

Dat hoorde een ekster die daar toevallig wat rondvloog.

'Wat is er met jou aan de hand?' vroeg de vogel aan het boompje.

'Ik sta hier helmaal alleen,' snikte het boompje.

'Ja, dat zie ik. Moet je daarom huilen?'

'Ja,' snikte het boompje.

'Heb je dan geen familie?'

'Ja, drie grote broers, maar die zijn er niet meer.'

De ekster keek eens met zijn scherpe ogen rond, zag de drie boomstompen en knikte begrijpend. 'Natuurlijk voor Kerstmis,' zei hij.

'Ja, voor Kerstmis,' snikte het boompje. '*Ik* sta hier helemaal alleen en *zij* worden versierd en krijgen lichtjes en alle mensen en kinderen kijken naar ze en zingen prachtige liederen.'

'Maar later worden ze weggegooid,' zei de ekster.

'Nou ja,' snikte het boompje, 'dan hebben ze toch nog iets in hun leven gehad.'

'Ach, je bent wel een heel klein boompje om hier zo alleen te staan,' zei de ekster. 'Hoe zou je het vinden als jij ook eens Kerstmis kon vieren?'

'Ik ben veel te klein om een kerstboom te zijn.'

'Ja, voor de mensen. Maar toch niet voor de dieren. Als ik er nu eens voor zorg dat jij ook vol gehangen wordt met versierselen. En dan roep ik wat andere vogels bij elkaar en nog een eekhoorntje of zo – en dan komen we bij jou Kerstmis vieren. Lijkt je dat niet aardig?'

'Maar hoe komt u dan aan die versieringen?' vroeg het boompje.

'O, ik ben ekster. Alles wat glimt of schittert of er een beetje aardig uitziet, dat neem ik mee en verstop ik. Ik heb wel honderd bergplaatsen waar de gekste dingen in zitten. Ik geloof zelfs dat ik in één van mijn bergplaatsen een echte kerstversiering heb.'

'Maar daar bent u dan toch niet eerlijk aan gekomen?'

'Daar weet ik niets van,' zei de ekster boos. 'Ik ben een ekster en eksters doen nu eenmaal zo. Nou, wil je of niet?'

'Ja, graag dan,' zei het boompje.

'En je hebt het voordeel dat je later niet weggegooid wordt,' zei de ekster en hij lachte krassend. Daarop vloog hij weg. Maar de dag voor Kerstmis kwam hij terug met allerlei versierselen in zijn snavel. Engelenhaar en kerstklokjes en zelfs een aantal blikken knijpertjes met stukjes kaars erin.

'O, bent u toch gekomen!' riep het dennenboompje. 'Ik had al helemaal niet meer op u gerekend.'

'Ik mag wel een oneerlijke ekster zijn, maar mijn woord dat houd ik,' zei de ekster. En hij begon het boompje te versieren, wat gauw gebeurd was omdat zo'n klein boompje natuurlijk al snel was vol gehangen.

'Zo. En blijf nou rustig staan en laten we hopen dat het niet gaat waaien. Tot ziens,' zei de ekster. En hij vloog weer weg.

Maar een paar uur later, vlak voor het donker werd, zag het boompje een hele stoet dieren naar zich toekomen. De ekster voorop en achter hem zijn hele eksterfamilie – en daarna andere vogels: bosduiven en winterkoninkjes en roodborstjes en nog veel meer soorten en ook een paar eekhoorns en een egel en zelfs wat kikkers uit een meertje dat lag waar de hei ophield.

De ekster stak met een blinkende sigarenaansteker de kaarsen aan en de dieren gingen rond het boompje staan of zitten en keken naar de flakkerende vlammetjes. En ze floten en koerden en krasten en kwaakten een lied, dat wel niet erg mooi klonk, maar de bedoeling was goed.

De volgende avond – eerste kerstavond dus – en ook de tweede kerstavond kwamen ze zelfs met nog meer dieren terug – en het kerstboompje voelde zich trots en gelukkig met zijn mooie versiering en zijn echt brandende kaarsjes. En de dieren zeiden tegen elkaar: 'Laten we zorgen dat we volgend jaar weer zo'n mooie kerst hebben want dit boompje zal altijd onze eigen kerstboom zijn.'

Van Hans Andreus zijn de volgende boeken verkrijgbaar:

Meester Pompelmoes gaat kamperen   Meester Pompelmoes gaat naar een onbewoond eiland
Meester Pompelmoes vindt een schat   Waarom daarom
Meester Pompelmoes gaat uit vissen   De laatste tovenaar

Mies Bouhuys

Kerstfeest

Ik wou dat als het kerstfeest werd,
de mensen, groot en klein,
de mensen overal vandaan,
de mensen bruin of wit of zwart
of wat ze ook maar zijn,
rondom één kerstboom zouden staan
met alle kaarsen aan.
Ze hoefden niet te zingen,
dat is zo gauw gedaan;
maar wel moesten ze knikken,
ja knikken met hun hoofd,
alsof elk mens de ander
voor altijd iets belooft.
Alleen naar klokken luisteren,
stil luisteren, hand in hand
en wat ze daaruit hoorden
vertellen in hun land.
En wat die klokken zeiden
dat gold voor iedereen,
dat zong over de wereld
door al het andere heen.

Bobje Goudsmit

De nieuwe jongen

Toen juf Marlies aankondigde dat we binnenkort een nieuwe jongen in de klas zouden krijgen, was ik hartstikke opgewonden. De bank naast mij was nog leeg. Wie weet zou hij wel naast mij komen zitten! Dat leek mij echt onwijs gaaf.

Zij vertelde dat hij uit een ander land kwam. Hij heette Rachid en hij was met zijn moeder naar Nederland gegaan, omdat het bij ons stukken veiliger voor hen was.

We waren allemaal stil, toen we hoorden dat zijn vader niet mee had mogen komen. De regering van zijn land vond dat niet goed. Die jongen woonde nu helemaal alleen met zijn moeder in ons dorp. Zielig.

Juf Marlies vroeg ons om hem een beetje te helpen. Hij sprak nog niet goed Nederlands en zo. Het was net alsof ze speciaal in mijn richting keek. Ik knikte. Natuurlijk zou ik hem beschermen. Hij was nu al mijn vriend.

Zeker een week lang ging ik elke dag extra vroeg naar school en hoopte dat hij vandaag zou komen. Noppes. Ik had het al bijna opgegeven, toen ik een nieuwe jongen tegen de muur van het schoolplein geleund zag staan. Ik ging meteen naar hem toe.

'Jij bent Rachid, hè?' zei ik.

De jongen keek me aan. Zijn ogen waren zo donker, dat je zijn pupillen niet meer kon ontdekken. Zijn huid had de kleur van koffie met melk en hij was nog kleiner dan Remco. Die zou wel blij zijn dat hij met gym nu niet meer vooraan in de rij hoefde te staan.

Ik wees op mezelf: 'Ik ben Jochem. Zo heet ik. Jochem.'

De jongen grinnikte. Zijn handen speelden met de gouden ketting om zijn nek. 'Rachid. Ja. Rachid.'

Zo begon onze vriendschap.

Juf Marlies wees Rachid de plaats naast mij aan. Dat was wel handig, zei ze, want dan kon ik hem meteen een beetje helpen met lezen en schrijven. Ik maakte stiekem in de klas allemaal lijstjes met woorden voor hem, die hij goed zou kunnen gebrui- ken. Ik leerde hem bijvoor- beeld dat de juf van handen- arbeid een 'takkewijf' was.

Of ze dan veel takken verzamelde? vroeg hij serieus. Ik rolde om van het lachen. Die Rachid!

Rachid kende alleen Arabische letters. Hij moest helemaal van voren af aan leren schrijven. Moeilijk dat-ie dat vond! Hij haalde telkens de d en de b door elkaar. Die rotletters kreeg hij maar niet in zijn hoofd. Pas toen ik hem de truc uit groep drie voordeed en van de b en de d een bedje maakte, snapte hij het. Hij werd knalrood, toen ik op de kussentjes twee hoofdjes tekende en zijn naam en die van Kim erboven schreef. Hoe ik dat wist van hem, wilde hij weten. Hij had het nog aan niemand verteld dat hij haar leuk vond. Nou, het was heel simpel: wij waren allemaal op Kim. Ze was het mooiste meisje van de hele school. Niemand anders had zulk blond haar, zulke blau- we ogen en rook zo lekker. Dus waarom ook hij niet?

Soms nam Rachid mij mee naar zijn huis. Dat was wel vreemd, want vroeger had Frank daar gewoond. Die was verhuisd en toen had de gemeente bepaald dat in dat huis asielzoekers kwamen. Zo werden Rachid en zijn moeder in ons dorp genoemd: asielzoekers. Ik vond dat maar een rare naam, want dan waren mijn vader en ik ook asiel- zoekers geweest, toen we onze hond uit het asiel hadden gehaald.

Hoewel mijn vader zei dat dat iets heel anders was.

Rachids moeder was best aardig, maar je kreeg niet echt contact met haar. Ze praatte niet veel. Vaak zat ze met haar handen in haar schoot stil voor zich uit te kijken.

'Ze kent hier nog niet veel mensen,' zei Rachid, 'en ze maakt zich zorgen om mijn vader. We horen heel weinig van hem.'

Ja, die vader van Rachid. Hij vertelde niet vaak over hem, maar als hij over hem sprak, begonnen zijn ogen verdacht te glanzen. Je voelde dan gewoon hoe hij zijn vader miste.

Rachid had ook andere feestdagen dan wij. Op een gegeven moment kwam hij minstens een week niet op school. Ik wilde meteen 's middags bij hem langs gaan, maar juf Marlies vertelde in de klas dat hij Ramadan vierde. Dan mocht je een maand lang tussen zonsopgang en zonsondergang niets eten en drinken en was je de hele dag aan het bidden tot Allah. Zo heette hun god.

Het verbaasde me niks meer dat Rachid zo klein gebleven was. Ik rammelde al van de honger om tien uur 's morgens!

Omdat hij mijn vriend was, bewaarde ik alle snoepjes van de jarige kinderen van die week voor hem. Hij was heel verrast, toen ik ze hem gaf en deelde ze later in het speelkwartier met mij.

'Weet je wat ik Allah gevraagd heb?' zei hij ernstig, kauwend op een dropveter. 'Of hij ervoor kan zorgen dat ze mijn vader vrijlaten. Ik heb het niet één keer gebeden, maar wel duizend honderd maal. Zou het helpen, denk je?'

'Vast,' zei ik stellig. Na een week bidden moest dat zeker wel lukken.

Toen juf Marlies begin december de klas binnenkwam, zagen we aan haar gezicht dat het vandaag dé dag was. Onze groep was namelijk dit jaar aan de beurt om het kerstspel op te voeren voor de hele school. Vandaag zou ze dus de rollen uitdelen.

We hoopten natuurlijk allemaal op een hoofdrol. Rachid ook. 'Mijn eerste kerstspel,' zei hij opgewonden. 'Jammer dat mijn vader het niet kan zien.'

Juf Marlies schreef met grote letters de rollen op het bord. Toen ze bij 'os' kwam, riep Melvin door de klas: 'Remco moet de os worden! Die is al een rund van zichzelf.'

Rachid had de grootste lol van allemaal om die opmerking. Ik begreep wel waarom. Hij had me een keer uitgelegd dat koeien in zijn land heilig waren. Die mocht je niet eens *aanraken*! Hij kon maar niet begrijpen dat wij er wel eens op paardjereden.

Ik werd herder. Dat vond ik wel leuk. Een beetje met je staf rondstampen op het toneel, gekke bekken trekken en zo. Gelukkig hoefde je er niet veel voor uit je hoofd te leren. Daar had ik geen zin in.

Een voor een kreeg iedereen een rol, maar nog steeds was Rachids naam niet genoemd. Je zag hem telkens benauwder kijken. Hij vroeg zich vast af of ze hem overgeslagen had.

Toen was Maria aan de beurt. Ik schoot in de lach. Zenuwachtig dat die meiden ineens waren! Niet normaal, zoals die konden giechelen! 'Kim,' zei juf Marlies.

Alle jongens die nog geen rol hadden, draaiden zich naar haar om. Je hoorde hen denken: Wie zal haar Jozef worden...? Ik ik ik! 'Rachid,' zei juf Marlies.

Opeens werd het doodstil in de klas. Iedereen keek naar Rachid en Kim. Hij plukte aan zijn ketting en hield zijn ogen neergeslagen. En Kim was knalrood geworden.

Ik porde in zijn zij. 'Vind je dat nou niet onwijs gaaf?' siste ik in zijn oor. 'Je hebt de hoofdrol gekregen, man! Je mag haar zelfs zoenen, als ze die pop in de kribbe gelegd heeft.'

Maar Rachid zweeg.

In het speelkwartier bleef hij binnen. Hij voelde zich niet zo goed, zei hij. Maar volgens mij zat hem er iets anders dwars.

Dit keer wilde niemand van de meisjes meedoen met meisjes-pak. Ze bleven allemaal bij elkaar hangen in groepjes. Ik slenterde per ongeluk-expres een paar keer langs het groepje van Kim en ving ineens de naam van Rachid op. Ik ging wijdbeens voor hen staan. 'En?' vroeg ik.

'Donder op, Jochem,' zei Kim vriendelijk. 'Je hebt hier niks te zoeken. We hebben het niet over jou.'

Nee, dat begreep ik ook wel. Maar Rachid was mijn vriend en dus wilde ik wel graag weten wat ze over hem zeiden.

Het kwam erop neer dat ze vonden dat Rachid geen Jozef kon zijn. Omdat hij donker was. En had iemand ooit gehoord van een donkere Jozef?

Ik tikte tegen mijn voorhoofd en liep weg. Stelletje trutkippen, dacht ik. Hoe weten jullie nou zo zeker dat Maria blond geweest is?

Wat er daarna gebeurde, is iets wat ik nooit zal vergeten. Een week lang verdeelde onze klas zich in twee groepen: de voor- en tegen-een-donkere-Jozef-aanhangers. We vochten wat af met elkaar, elk speelkwartier was het raak. Rachid deed nergens aan mee. Maar ik mepte voor twee en verbeterde mijn record blauwe ogen en bloedneuzen.

Tot juf Marlies ingreep. We moesten allemaal van haar nablijven. Op Rachid na dan.

En daar begon ze ons opeens het kerstverhaal te vertellen. Hoe Maria en Jozef uit hun land verdreven waren en nergens onderdak konden vinden en zo. We begrepen er niets van. Dacht ze nou echt dat we dat verhaal nog niet kenden? Maar ze keek er zo ernstig bij, dat we nattigheid voelden. Blijkbaar had ze er een bedoeling mee.

'Rachid en zijn moeder,' zei ze ten slotte, 'zijn ook uit hun land gevlucht. Net als Maria en Jozef.'

We staarden naar de grond. Tja.

'Rachids moeder vertelde me laatst dat haar man nog steeds in de gevangenis zit,' ging ze door, 'en weet je waarom hij daar is?'

We schudden ons hoofd. Gek eigenlijk, maar ik realiseerde me dat ik dat nooit aan Rachid had gevraagd.

'Omdat hij als journalist een andere politieke mening heeft dan de regering. In zijn land vinden ze je dan gevaarlijk en sluiten ze je op en moeten je vrouw en je zoon naar een ander land vluchten, waar ze veiliger zijn.'

Ze keek ons om beurten aan en herhaalde nadrukkelijk: 'Waar ze *veiliger* zijn. En gastvrij worden ontvangen. Net als Maria en Jozef, toen ze van de herbergier in de stal mochten slapen.'

Ze zweeg even. 'En weet je waarom Rachid van mij de hoofdrol gekregen heeft? Waarom hij Jozef mag zijn? Om hem te laten voelen hoe welkom hij bij ons is.'

Ze stond op. Ze schaamde zich, zei ze, zoals wij ons gedragen hadden. Ze hoopte dat we met zijn allen ons best zouden doen om van het kerstspel een groot succes te maken. Want Kerstmis was niet voor niets het feest van de verdraagzaamheid.

Toen mochten we weggaan.

Ik keek stiekem even naar Kim. Ze bloosde tot in haar nek.

Natuurlijk zorgden we er met zijn allen voor dat ons kerstspel het mooiste werd van alle jaren. We oefenden ons suf elke dag en bouwden indrukwekkende decors. En onze moeders naaiden oogverblindende kostuums voor ons. Het kon gewoon niet stuk.

Die donderdag voor de kerstvakantie speelden we de sterren van de hemel. Alle jongens waren het erover eens dat ik als herder de beste was, ik kreeg de meeste lachsalvo's van iedereen. Zelfs toen ik per ongeluk over mijn staf struikelde, lagen ze nog in een deuk.

Maar er was nog een andere reden waarom ons kerstspel zo bijzonder was. En dat kwam door Rachid. Hij was de meest gelukkige Jozef die we ooit gezien hadden. In het begin begreep ik er niets van, maar toen ik hem telkens in de zaal met ouders zag kijken, volgde ik zijn blik. Daar zat zijn moeder.

Ik kon mijn ogen niet geloven. Ze lachte. *Ze lachte!*

Naast haar zat een grote, donkere man met zo'n ingewikkelde doek om zijn hoofd gebonden. Hij hield haar hand vast en keek haar vaak van opzij aan.

Rachid zag mij staren en grinnikte.

'Ik heb jou toch verteld dat ik Allah vaak heb gebeden over mijn vader?' fluisterde hij tegen mij, net op het moment dat de drie Wijzen voor Maria neerknielden en Melvin in zijn zenuwen vergat haar de zak met goud te geven.

'Toen het zo lang duurde, hè, heb ik voor de veiligheid ook nog eens duizend honderd maal naar jullie Christus gebeden. Nou, onze Allah is groot, maar die van jullie kan er ook wat van. Wat een keigaaf duo! Ik weet zeker dat zij er samen voor gezorgd hebben dat mijn vader gisteren thuisgekomen is.'

Van Bobje Goudsmit zijn de volgende boeken verkrijgbaar:

Shoe Sjanah en de spinnevrouw
Skeelers
Gabbers
Geen verbinding

Paul Biegel

Een kerstverhaal

De keizer was een lastige keizer. Nukkig, driftig en schreeuwerig. Het vorig jaar wilde hij Kerstmis al in oktober vieren, met een kerstboom die iets heel bijzonders moest zijn. Daartoe hadden de lakeien een danseres als boom opgetuigd en het arme meisje heeft zo de hele avond doodstil op één been moeten staan. Wat zou het dit jaar worden?
Gelukkig niets in oktober. Niets in november, nog niets op tweeëntwintig december... maar toen, op de avond van de vierentwintigste, beukte de keizer met zijn zware gouden kroon op de eikenhouten tafel en riep: 'Ik wil het kerstverhaal horen!'
'Maar Sire,' antwoordde de eerste lakei bevend. 'Dat kent u toch al?'
'Kennen?' riep de keizer, 'kennen? Ik wil het hóren!'
'Pardon Sire, welk kerstverhaal bedoelt u eigenlijk?' vroeg de tweede lakei onderdanig.
'Versta je me niet?' schreeuwde de keizer. 'Hét kerstverhaal zei ik.'
'Maar-maar-maar welk is hét-hét-hét?' stotterde de derde lakei lijkbleek.
De keizer smeet zijn gouden kroon op de spiegelgladde vloer, zodat het ding kletterend door de zaal vloog en in een hoek tegen het gordijn plofte.
'Ga het zoeken!' bulderde de keizer.
De lakeien vlogen naar de hoek, raapten gedrieën de kroon op en kwamen er op een deftig drafje mee aanzetten.
'Ik bedoel het verháál,' schreeuwde de keizer, purper van woede. 'Zoek het kerstverhaal en vertel het me. Onmiddellijk. Mars.' De lakeien zetten de kroon neer en verlieten achteruitlopend de zaal, diepe buigingen makend, zodat ze buiten in de gang over elkaar heen vielen.
'Phoe,' sprak de eerste.
'Boe,' sprak de tweede.
'Foei, foei, foei,' stotterde de derde.

Daarop begaven ze zich naar de keizerlijke bibliotheek en begonnen in alle kerstboeken te bladeren om hét kerstverhaal te vinden.

Een uur later klopte de eerste lakei bescheiden aan de deur van de troonzaal en trad binnen. Hij plaatste een gouden krukje met geborduurde zitting op enige afstand van de troon, ging erop zitten, sloeg een groot boek open en legde het op zijn satijnen knieën.
'Houd op met al die poespas en begin!' beval de keizer.
De lakei zette een lorgnet op de neus en begon statig te lezen: 'Het was een bitter koude nacht. De sneeuw viel in dikke vlokken omlaag en het vroor dat het kraakte. Over het eenzame bospad liep een rendier dat hijgend een zware slee trok, waarop de kerstman...'
'Kwatsch!' riep de keizer. 'Ik wil kerst en geen kerst*man*. Ga in de hoek staan.'
De eerste lakei verloor zijn deftigheid niet. Hij legde het boek neer, nam zijn lorgnet af, stond op en schreed met waardige passen naar een hoek van de zaal waar hij in de houding ging staan, met zijn neus in het gordijn.

Enkele minuten later klopte de tweede lakei aan, trad binnen, ging op het krukje zitten, sloeg zijn boek open en begon te lezen: 'Er was eens een boompje dat had groene blaadjes die in de herfst rood werden en daarna geel en tenslotte afvielen. Toen werd het boompje toch zo treurig. Het dacht: had ik toch naalden, dan zou ik in de winter niet kaal zijn en een kerstboom kunnen...'
'Kwatsch!' riep de keizer. 'Ik wil kerst en geen kerst*boom*. Ga in de hoek staan.'
Ook de tweede lakei stond gehoorzaam op en liep naar de tweede hoek.

Daarop verscheen de derde lakei. Hij had een klein stoffig boekje gevonden; hij bleef staan en begon meteen voor te lezen: 'Lang ge-geleden leefde er eens een boe-, boerenzoon en die had in zijn hoe-, hoe-, hoenderstal een heleboel dieren. Maar toen het december was, dacht hij ineens: ik heb geen kerst-, geen kerst-, geen kerst-'

'Ach,' sprak de keizer. 'Net als ik. Dat begint er op te lijken. Ga door.'

'Geen kerst-, geen kerst-, geen kerstgans.'

De keizer werd paars. 'In de hoek,' brulde hij.

En ook de derde lakei ging stram in de hoek staan, met zijn neus tegen het schilderij van de vorige keizer.

Toen werd de lijfwacht opgetrommeld. De kapitein verscheen aan het hoofd van zijn manschappen; stelde zich op voor de troon, salueerde en sprak: 'Present Majesteit.'

'Ik wens het kerstverhaal,' beval de keizer. 'Ga onmiddellijk zoeken.'

'Het kerstverhaal zoeken,' antwoordde de kapitein, 'jawel Majesteit.'

Hij salueerde opnieuw en marcheerde met zijn mannen de troonzaal uit. Nu doorzocht de lijfwacht het gehele paleis. Niet alleen de bibliotheek maar ook alle andere vertrekken en ook alle kamers. Van de hofdames, van de poetsknechten, van de vatenwasmeiden, van de kamerdienaren, van de koks en van de stalmeesters, werden de kamers doorzocht. Alle boeken waar een kerstverhaal in stond, werden verzameld en in optocht naar de keizer gebracht. 'Lees voor,' snauwde de keizer.

De kapitein salueerde en begon in het eerste boek. Maar dat verhaal ging over een kerstpudding en de keizer rukte de kapitein het boek uit de handen en smeet het tegen de muur.

De kapitein salueerde en nam het volgende verhaal: *De kerstkrans* heette dat en de keizer schopte het boek tegen het plafond. Zo ging het maar door. *De kerstroos, de kerstkaars, de kerstman,* alle boeken werden door de keizer weggesmeten.

'Namaak! Ik wil het echte, ga het zoeken, onmiddellijk. Ik wens het vanavond te horen!'

'Vanavond te horen,' antwoordde de kapitein en marcheerde saluerend

weg. Maar in de deur botste hij tegen de oude keukenmeid en die riep:
'Waar blijven de lakeien om de soep op te dienen?'
'Soep,' bulderde de keizer. 'Wie durft daar over de soep te spreken? Ik
wil geen soep. Ik wil het kerstverhaal!'

De oude keukenmeid kon niet lezen of schrijven. Ze droeg een vette
voorschoot, ze had glimmende wangen en dikke rode armen.
'Nou, nou,' zei ze, 'het kerstverhaal.' Ze waggelde naar voren. 'Bedoelt u
Maria en Jozef in de stal met het kind in de kribbe en de herders er
omheen?' vroeg ze.
'Aha,' zei de keizer, 'vertel het me!'
'Nou,' zei de keukenmeid, 'dat… kent u toch zeker?'
'Vertel het me,' brulde de keizer en de lijfwacht drukte de keukenmeid
op het gouden krukje met de geborduurde zitting.
'Nou, Maria en Jozef moesten naar Bethlehem,' begon de dikke meid
bevend. 'Maar 't was overal vol en zo kwamen ze in de stal en daar
kreeg zij haar kindje en ze legde het in een kribbe op een beetje stro
want ze had niets anders en toen kwamen de herders en toen…'
'En toen?' vroeg de keizer.
'Nou toen… toen niks,' stamelde de keukenmeid. 'Dat is 't.'
''t Hele verhaal?' riep de keizer.
De keukenmeid knikte.
'Lijkt nergens naar!' schreeuwde de keizer.
'Ga in de hoek staan!' De keukenmeid
ging in de vierde hoek van de zaal
staan met haar neus tegen de scheur-
kalender.

'Zoek een andere verteller!' beval de keizer schreeuwend.

'Onmiddellijk. Mars.'

De lijfwacht marcheerde weg en kwam even later terug met een hofdame, die dadelijk ging zitten en begon te vertellen. Ze had een mooie stem en weidde lang uit over de mooie blauwe sjerp van Maria en het prachtige gezang van de engelen. 'En het kindje lachte zo lief,' sprak ze. 'En toen?' vroeg de keizer.

De hofdame schokte overeind. 'Vond u het niet mooi?' vroeg ze.

'Nee,' antwoordde de keizer. 'Tegen de muur. De volgende.' Nu verscheen een kamerdienaar die uitvoerig beschreef hoeveel moeite Jozef deed om toch een plaats in een der herbergen te krijgen, hoe koud het was in de stal en hoe dikke tranen over de verweerde rimpels van de herdersgezichten biggelden.

'En toen?' vroeg de keizer knorrig.

'De geschiedenis is uit, Majesteit,' sprak de kamerdienaar plechtig.

'Tegen de muur,' brulde de keizer, 'zoek een volgende verteller.'

De volgende was een poetsknecht die het alleen maar over de herders had en hen ruwe dingen liet zeggen en daarna kwam er een hofdame die het in dichtvorm deed maar telkens vroeg de keizer: 'En toen?' Dan kwam er geen antwoord en ze werden tegen de muur gezet. Ten slotte verscheen er een groepje hovelingen, dat gauw een kerstspel had ingestudeerd. Ze voerden het op met een echte os en een echte ezel, maar de keizer riep: 'Kwatsch! Namaak. 't Lijkt er niet naar. Tegen de muur met jullie. De volgende.'

Maar er was niemand meer in het paleis. De hele hofhouding stond in de troonzaal met de neus tegen de muur, de lijfwacht stond stram in de houding, met de kapitein saluerend aan het hoofd en het bleef doodstil.

'Het kerstverhaal!' brulde de keizer, 'het echte.'

Maar het bleef doodstil.

Jawel, totdat er voetstappen klonken in de gang, de deur geopend werd en een oude soldaat binnentrad. Hij droeg versleten schoenen en een grote vaalgrijze jas hing over zijn schouders.

'Geen mens bij de poort,' sprak hij, 'geen mens bij de achterdeur, geen mens bij de binnendeur, geen mens in de keuken, niemand in de gang, dus ik dacht...'

'Scheer je weg,' riep de keizer.

'Maar ik wou vragen of...'

'Verdwijn, mars,' schreeuwde de keizer.

'...onderdak en een hapje in de keuken,' stamelde de oude soldaat.

'D'r uit. Ik bedoel kom hier,' bulderde de keizer. 'Kom hier en vertel het kerstverhaal.'

De soldaat strompelde tot voor de troon. Hij keek de keizer aan en zweeg lange tijd. Toen sprak hij: 'Och Sire, wat wilt u van een oude soldaat die moe is van de oorlog en moe van het marcheren? Het kerstverhaal? Ik heb een heel leven achter de rug van gaan en staan, van slapen in het koude veld en van dode kameraden. Ik heb het zoete geproefd van de overwinning en het bittere van de nederlaag. Wilt u van mij het kerstverhaal? Mijn schoenen zijn gebarsten en mijn jas is versleten. Hoe kan ik vertellen over wollen schaapjes en zingende engeltjes?'

Het was doodstil geworden in de troonzaal.

'Maar wat is het kerstverhaal?' vervolgde de oude soldaat. 'U bent een machtig keizer. U beveelt en ieder doet wat u zegt. Ik zie ze hier allemaal staan met hun neus tegen de muur, als gehoorzame onderdanen en zie: het kerstverhaal gaat ook over een keizer. Over de keizer des keizers, over de allerhoogste, die van zijn troon afkwam om mens te worden onder de mensen... Maar,' ging de soldaat verder, 'is dat een verhaal? Als u mij vraagt: en toen? Dan zeg ik: kom van uw troon af, machtige keizer en word mens onder de mensen. Dan zult u het kerstverhaal kennen.'

De soldaat zweeg en even bleef 't stil in de troonzaal. Toen greep de keizer naar zijn gouden kroon en smeet hem met zoveel kracht op de vloer als hij nog nooit gedaan had. Alle hovelingen langs de muur keken ontzet om. 'Brutale luis,' schreeuwde de keizer, 'hoe durf je zo tegen mij te spreken? Verdwijn van hier, onmiddellijk. In looppas.'

De soldaat haalde de schouders op.

'Schiet op, mars,' bulderde de keizer.

De soldaat haalde opnieuw de schouders op, keerde zich om en begon langzaam naar de deur te strompelen.

'Donder en bliksem,' brulde de keizer. 'Ik zei: looppas.'

Maar de soldaat scheen het niet te horen en opeens kwam de keizer als een woedende stier overeind, sprong de drie treden van zijn troon af en rende de soldaat achterna om hem het paleis uit te schoppen.

'Dat zal je voelen,' riep hij, maar vreemd genoeg kon de keizer hem niet te pakken krijgen. Telkens wanneer hij meende de soldaat een schop of stoot te kunnen geven, was deze juist iets verder dan hij dacht.

'Ik zal je,' schreeuwde de keizer door de lange gang. Hij gooide zijn zware hermelijnen mantel af om zich beter te kunnen bewegen en vloog de strompelende soldaat achterna. Maar deze ging door de keuken, door de achterdeur en de poort uit, zonder dat de keizer hem zelfs had kunnen aanraken.

In machteloze woede holde de keizer verder, de grauwe, schimmige figuur achterna, maar hoe harder hij liep, hoe groter de afstand tussen hen werd en ten slotte verdween de strompelende soldaat geheel uit het gezicht. Toen bleef de keizer hijgend staan. Een koude wind blies door zijn dunne onderkleren en hij begon te bibberen en te klappertanden en met zijn knieën te knikken.

'Ik heb het koud,' schreeuwde hij.

Maar niemand hoorde hem.

'Breng mijn mantel,' schreeuwde hij.

Maar niemand kwam.

Hij begon weer te lopen en dwaalde verder en verder. Hij werd kouder en kouder en zijn woede koelde. Toen struikelde hij en viel. Het was de versleten jas van de soldaat die op zijn weg lag.

'Ai,' mompelde de keizer, 'ai, ik ben gevallen. Van mijn hoge troon ben ik gevallen.'

Het duurde een hele tijd voor hij weer opstond en omdat het zo bitter koud was, nam hij de soldatenjas, klopte het stof en zand eruit, sloeg hem om zijn schouders en strompelde langzaam terug naar het paleis.

De eerste, de tweede en de derde lakei, de oude keukenmeid, de hofdames, de kamerdienaren, de poetsknechten en alle andere hovelingen stonden nog steeds tegen de muur toen de keizer weer in de troonzaal verscheen. En omdat er geen schreeuwend bevel klonk, draaiden ze één voor één voorzichtig en nieuwsgierig het hoofd om. Daar stond hun heer en meester, de lastige en nukkige keizer, gehuld in een grauwe, versleten soldatenjas. Hij sprak: 'Het is kerstavond. Ik wens het feest met u allen aan één tafel te vieren en ikzelf zal het kerstverhaal vertellen.'

Zo gebeurde. En welk verhaal dat was, weet ieder die ooit van zijn eigen troon gevallen is.

Thijs Goverde

Winterlicht

Met een droeve zucht staarde Borre naar de sneeuw, die op het dak-
raam viel. Het raampje was al bijna dicht gesneeuwd en daarna zou het
hele huisje onder de sneeuw bedolven zijn, de hele winter lang. Zo
gaat dat als je vlak bij het Hoge Noorden woont.
Iedere dag van de lente had Borre gehoopt dat er iemand aan zou komen over het bevroren land. Iemand om mee te spelen, iemand om samen bij het vuur nieuwe verhalen en nieuwe spelletjes mee te verzinnen. Maar de zomer was aangebroken en de grond ontdooide en werd
soppig en onbegaanbaar, zonder dat er iemand gekomen was. Toen de
zomer voorbij was en de grond weer was vastgevroren, dacht Borre elke dag: Misschien komt er nu iemand. Maar er was niemand gekomen.
Het was gaan sneeuwen en de sneeuw kwam al bijna tot boven het
dak, zodat niemand meer naar binnen of naar buiten kon. Pas de volgende lente zou er weer iemand kunnen komen en de winter duurde
lang.
Zo ging het al zo lang als Borre zich kon herinneren. Natuurlijk
woonde hij niet alleen in het huisje aan de rand van het Hoge
Noorden: Bertus en Jip waren er ook nog. Jip was Borres hondje en
Bertus was een oude man, die langzaam door het huisje slofte en
's avonds soep kookte voor hun drieën.
Borre speelde elke dag met zijn hondje, van 's morgens vroeg tot aan
het avondeten. Na het eten gingen ze samen met Bertus bij de haard
zitten. Dan legde Jip zijn kop in de schoot van Borre en Borre legde
zijn hoofd op de schoot van Bertus en de oude man vertelde hem verhalen tot hij in slaap viel. Maar alle spelletjes die hij met Jip kon doen,
had hij al duizend keer gedaan en alle verhalen die Bertus kende, had
hij al duizend keer gehoord.
Daarom hoopte hij elke dag van de lente en elke dag van de herfst dat
er iemand komen zou. Maar niemand wist dat zij daar woonden, hele-

maal aan de rand van het Hoge Noorden.

Het dakraampje was nu helemaal dicht gesneeuwd en het was donker op de zolder van het houten huisje. Borre veegde met zijn mouw langs zijn ogen en ging naar beneden.

Dagen gingen voorbij. Bertus vertelde zijn oude verhalen en Borre speelde met Jip. Hij deed erg zijn best om plezier te hebben, maar het lukte nooit helemaal. Jip maakte de grappigste sprongen die hij maar kon bedenken om zijn baasje op te vrolijken en Bertus vertelde iedere avond zijn mooiste verhalen. Maar Borre werd steeds verdrietiger. Borre verborg het verdriet binnen in zijn hoofd, diep weggestopt achter zijn glimlachende gezicht. Hij wilde Bertus en Jip niet teleurstellen. Daarom probeerde hij altijd te lachen en vrolijk te zijn, maar soms lukte het niet.

'Jongen toch, jongen toch,' mompelde Bertus op een nacht, 'soms wou ik dat alles anders was. Maar ik kan er ook niets aan doen.' Borre lag op zijn schoot te slapen. Het was midden in de winter en het zou nog heel lang duren tot de lente. Bertus krabde op zijn hoofd en bleef een tijdlang doodstil zitten. Ten slotte tilde hij Borre voorzichtig op. Zachtjes droeg hij hem naar bed en legde hem onder de dekens van dons en van bont. Daar lag Borre en hij sliep. Maar midden in de nacht werd hij wakker. Bertus was ingedut in zijn stoel bij de haard; alles was stil en van het vuur in de haard was niet meer over dan een hoopje as.

Toch was het niet donker. Uit het luikje naar de zolder kwam een licht, zoals Borre nog nooit had gezien. Het was zachter dan het licht van de zon, en minder helder, en het had allerlei kleuren. Groen en blauw en geel en rood. Stilletjes glipte hij zijn bed uit en klom het trapje naar de zolder op. Het vreemde licht kwam binnen door het dakraampje. Borre snapte er niets van. Lag er dan geen sneeuw op het dakraampje? Voetje voor voetje sloop hij dichterbij en hij gluurde om het randje van het raamkozijn.

Er lag geen sneeuw op het dakraampje. Iemand had

een kuil in de sneeuwlaag gegraven, zo diep dat het raampje vrij was gekomen. Op de wanden van de kuil die drie keer zo hoog waren als Borre zelf, danste het licht.

Nieuwsgierig klom Borre door het dakraampje naar buiten. Hij vergat het raam achter zich dicht te doen. Hij merkte niet eens dat hij met zijn blote voeten in de sneeuw liep, zo verwonderd was hij over het geheimzinnige licht dat van de sneeuwmuur kwam.

Toen hij dichterbij kwam, merkte hij dat het licht niet van de sneeuw zelf kwam, maar er alleen maar door weerkaatst werd. Het licht kwam eigenlijk van boven, ontdekte Borre toen hij omhoog-keek.

De hele hemel was gevuld met zacht, vaag licht, in allerlei kleuren die traag en sierlijk om elkaar heen bewogen, alsof ze samen dansten.

'Prachtig,' fluisterde hij.

'Dat is het winterlicht,' zei een stem. Verbaasd draaide Borre zich om. Achter hem, op de rand van de sneeuwkuil, zat een meisje. Ze had witte haren en droeg een dun, wit zomerjurkje. Haar blote armen en benen waren zo bleek dat het leek of iemand ze van sneeuw had geboetseerd. Maar haar ogen waren zo donker als een onderaardse grot.

'Ik ben Kille,' zei ze.

'Ik ben Borre,' zei Borre.

'Ik ben blij dat je het mooi vindt,' zei Kille. 'Het wordt gemaakt door mijn grootmoeder, die in het Hoge Noorden woont, niet ver hier vandaan. Ze doet er heel erg haar best op, maar geen mens krijgt het ooit te zien. Wie gaat er nou naar het Hoge Noorden in de winter? Ik dacht: daar beneden onder de sneeuw staat een huisje, misschien vinden die mensen het wel leuk om het winterlicht eens te zien. Toen moest ik natuurlijk wel een kuil in de sneeuw graven, tot bij jullie raampje. Anders konden jullie het niet zien.'

'Het is heel mooi,' zei Borre.

'Dank je wel,' zei Kille. 'Zullen we spelen?'

'Ja, graag,' riep Borre. En ze speelden zoals hij nog nooit gespeeld had. Verstoppertje en pak-me-dan, hinkelen en raad-het-woord, teken-met-je-vinger-in-de-sneeuw en wie-heeft-de-grootste-sneeuwman en nog wel twintig andere spelletjes. Ze waren zo druk bezig dat Borre helemaal vergat dat hij in zijn dunne pyjama buiten liep, in de sneeuw. Maar toen Kille hem met verstoppertje vier keer achter elkaar meteen vond, omdat hij zo zat te klappertanden, merkte hij opeens dat hij het koud had.

'Ik wil naar binnen,' zei hij. 'Ik bevries zowat.'

'Kom mee naar mijn huis,' zei Kille. 'Dan krijg je ijstaart en ijslolly's en priklimonade met ijsklontjes.'

Al die koude dingen, daar had Borre niet zo veel trek in, maar hij was heel blij dat hij Kille had leren kennen en heel nieuwsgierig naar haar huis en naar haar oma, die het winterlicht maakte. Dus hij zei ja, dat hij graag met haar meewilde.

'Geweldig!' riep Kille blij. Ze gaf hem haar ijskoude hand en ze gingen op weg. Ze liepen over velden van ijs en tussen heuvels van sneeuw, steeds verder, tot Borre geen idee meer had hoe ver ze gelopen hadden of in welke richting. Dat duurde niet lang, want de heuvels leken allemaal op elkaar en ze veranderden steeds van kleur door het winterlicht. Het was mooi, maar ook een beetje spookachtig. Het begon zachtjes te sneeuwen en ieder vlokje weerkaatste het winterlicht op zesendertig verschillende manieren. Bij elke stap werd de wereld van sneeuw mooier. Maar ze werd ook steeds verwarrender. Borre werd er bang van, maar Kille sloeg een arm om hem heen en zei dat ze er nu bijna waren. Dat was maar goed ook, want Borre kon bijna niet meer lopen van de kou. Hij voelde zijn voeten niet meer en hij rilde verschrikkelijk.

Ten slotte kwamen ze bij een hoge heuvel. Ze klommen naar boven en daar zag Borre een grote ijzeren schaal, zo groot dat het houten huisje er met gemak in had gepast. Uit die schaal stroomde het winterlicht en Borre hoorde een luid geknetter en gesis, als van een heel groot vuur. Tegen de rand van de schaal stond een ladder en daarop stond een oud vrouwtje. Ze droeg een mand met sneeuw op haar rug. Ze haalde de mand van haar rug, zette hem tegen de rand van de schaal en kiepte de sneeuw erin. Uit de schaal laaide een brullend vuur op in alle denkbare kleuren.

'Hier wordt het winterlicht gemaakt,' zei Kille trots. Borre wilde naar het vuur toegaan om zich te warmen, maar hoe dichter hij erbij kwam, hoe kouder het werd.

'Dat is koudvuur, jochie,' zei het oude vrouwtje, terwijl ze de ladder af-

klom en haar mand opnieuw met sneeuw begon te vullen. Ze was net zo bleek als Kille, maar oud en gerimpeld en haar witte haren kwamen tot de grond.

Het begon steeds harder te sneeuwen en de wind werd feller. Borre kreeg het zo koud dat hij viel en niet meer op kon staan.

'W-w-waar is j-j-jullie h-huis?' stamelde hij bibberend.

'Huis?' vroeg Kille. 'Wij hebben geen huis. Wij wonen hier, op de heuveltop.'

Borre sloot zijn ogen. Nu ga ik dood van de kou, dacht hij.

'Je had die jongen niet hier mogen brengen, Kille,' zei het oude vrouwtje hoofdschuddend. 'Mensenkinderen kunnen niet tegen de kou, zoals wij.'

'Ik was zo alleen,' zei Kille zachtjes. Ze legde Borre op een bed van ijs en dekte hem zorgvuldig toe met een dikke laag sneeuw.

'Daar zal hij het niet warmer van krijgen,' grinnikte het vrouwtje, maar Kille had geen dekens. Ze ging naast Borre zitten en aaide over zijn voorhoofd, terwijl haar grootmoeder hoofdschuddend een nieuwe mand sneeuw de ladder opdroeg. Het rillen van Borre werd minder en minder en hij haalde bijna geen adem meer.

Opeens klonk er geblaf vanuit de sneeuwstorm, heel dichtbij. Jip kwam tegen de heuvel opgerend en achter hem aan kwam Bertus. Bertus was wakker geworden van de kou, omdat Borre het dakraampje open had laten staan. Toen hij had gezien dat Borres bed leeg was, had hij dekens en een fles warme soep gepakt om hem te gaan zoeken. Jip had het spoor van zijn baasje gevolgd tot zijn neus er bijna afvroor. En nu hadden ze hem gevonden. Bertus wikkelde Borre in de dekens van wol en van bont en gaf hem warme soep te drinken. Daarna pakte hij de jongen op en begon hem de heuvel af te dragen.

'Als je ooit weer bij ons komt, bijt Jip je dood,' zei hij over zijn schouder tegen Kille. Jip gromde.

Kille keek hen na zolang ze kon. En haar tranen waren sneeuwvlokken die langzaam naar beneden dwarrelden.

Van Thijs Goverde is verkrijgbaar:

De purperen koningsmantel

Remco Campert

De opstand der fietsen

Het gebeurde in december, de koudste maand van het jaar, niet lang voor Kerstmis. 's Nachts had het gevroren: een dunne spiegel van ijs lag over de grachten en vaarten van de stad, wit rijp huiverde op de kale zwarte takken van de bomen en toen de mensen 's morgens opstonden, trokken ze extra dikke kleren aan en de kinderen keken opgewonden naar de hemel, die sneeuw beloofde.

En in de loop van de morgen begon het dan ook te sneeuwen, dikke trage vlokken uit een geelwitte lucht, een regen van kleine koude sterren, die zich nestelden op de daken van huizen en auto's, op de trottoirs en straten, op vergeten speelgoed in de tuinen, op deksels van vuilnisbakken en de petten van politieagenten. Zo'n dik pak sneeuw was er in jaren niet meer gevallen, zeiden de mensen en de mensen konden het weten, want zij hebben oren om te horen en ogen om te zien.

Maar het was diezelfde sneeuw, die met haar witte vacht de geluiden van de stad dempte en de kinderen zoveel plezier bezorgde, die voor de fietsen de druppel was, die de emmer deed overlopen. De fietsen waren al weken aan het mopperen. In het holst van de nacht hielden ze vergaderingen, waarin ze zeiden dat ze er genoeg van hadden en dat het nu maar eens afgelopen moest zijn. Ze hadden er genoeg van om altijd maar door de mensen getrapt te worden.

'We hebben niet eens zelfbestuur,' had een jonge fiets gezegd. 'We worden bestuurd.' Ze hadden er genoeg van om altijd maar klaar te staan voor de mensen, weer of geen weer.

'Wordt er ons ooit gevraagd of we zin hebben de straat op te gaan?' had dezelfde jonge fiets op een van de vergaderingen uitgeroepen. 'Welnee, daar denken de mensen niet aan. Wij zijn in hun ogen niet meer dan stomme metalen voorwerpen.'

En nu sneeuwde het dan. En de fietsen ploegden moeizaam door die sneeuw en torsten op hun zadel het zware gewicht van hun eigenaar met zich mee. De fietsen rilden van de kou en van vermoeidheid, maar dat wisten de mensen niet, want zij dachten dat een fiets geen gevoel bezat. Ze hadden het zelf koud en ze waren zelf moe en prikkelbaar en ze dachten dat zij de enige wezens op de wereld waren, die zulke dingen konden voelen. En dus trapten ze voort en belden hard en namen nog iemand achterop, zodat de fietsen kreunden van pijn en ergernis.

Op die avond, toen alle mensen thuis waren en warm bij de kachel zaten, gebeurde het. De fietsen verlieten de mensen. Ze reden weg uit gangen, trapportalen, rijwielstallingen en waar ze maar stonden.

Als je toen uit het raam had gekeken had je iets kunnen zien, wat je nog nooit hebt gezien: duizenden en nog eens duizenden fietsen, die door de straten reden zonder mensen erop, over het wit van de sneeuw door het grijs van de avond. Het leek een droom, een droom van glinsterende fietsbellen en spaken, van zwarte sturen en rode achterlichtjes, van bagagedragers en trots schijnende lampen.

Zo reden ze de stad uit, alle fietsen van de mensen, en buiten de stad gekomen hielden ze halt om te overleggen, wat ze nu verder te doen stond. Het bleek al spoedig, dat ze het eigenlijk niet zo goed wisten. Ze wisten maar één ding: dat ze de mensen nooit meer wilden zien. Ze wilden nooit meer betrapt worden en nooit meer bestuurd.

De jonge fiets zei: 'We rijden door en stoppen niet meer, voor we het land gevonden hebben, waar een fiets rechten heeft, waar een fiets niet hoeft te dansen naar de pijpen van de mensen, kortom een land waar een fiets een fiets kan zijn.'

'En waar is dat land?' vroegen de anderen.

'Dat land is er,' zei de jonge fiets. 'Ik weet niet waar, maar het is er. Misschien moeten we lang en ver rijden maar we zullen het vinden, daar ben ik zeker van. Het is een heerlijk land. Als ik mijn ogen sluit kan ik het zien. Alle fietsen worden er elke dag gepoetst en gesmeerd, elke dag krijgen we nieuwe banden om en nooit, nee nooit (hier werd de stem van de jonge fiets geheel ontroerd) zullen we meer last met onze ketting hebben.'

'Hoera,' riepen de fietsen, 'hoera.'

'Vooruit,' riep de jonge fiets. 'Op weg. Volg mij.'

Ze reden het land in, steeds verder van de stad af. Het was nacht geworden, een heldere nacht, sterren schitterden in de hemel en deden de sneeuw, die op de wegen en weilanden en landerijen lag, flonkeren. En over de wegen reden geruisloos de fietsen en ze hadden het niet koud, want ze dachten aan het land waar de jonge fiets over gesproken had. Over die duizenden fietsen koepelde de nacht en onder hun banden lag zwijgend de sneeuw. Toen naderde in de verte over de weg waarop de fietsen reden, een geluid. Een geluid van rinkelende belletjes en getrappel van hoeven. Het geluid kwam steeds dichterbij en het werd een vorm en die vorm bestond uit acht herten met grote geweien, die een arrenslee voorttrokken en in de arrenslee zat, warmpjes ingepakt, een oude man en dat was de kerstman.

Toen de kerstman al die fietsen zag, liet hij zijn slede stil houden midden op de weg en wachtte af tot de fietsen hem bereikt hadden. 'Opzij kerstman,' riep de jonge fiets. 'We moeten verder. We hebben geen minuut te verliezen.'

Maar de kerstman, die een koppige oude man kon zijn, ging niet opzij en hij suste zijn herten, die onrustig waren geworden van al die fietsen, en vroeg: 'Waar gaan jullie naartoe?'

'Naar een land waar een fiets rechten heeft,' riepen de fietsen.

'Waar ligt dat land?' vroeg de kerstman, terwijl hij zijn herten suikerkransjes voerde.

'Dat weten we niet,' zeiden de fietsen.

'Zo zo,' zei de kerstman. 'Dus jullie gaan naar een land dat niet bestaat en laten de mensen in de steek.'

'Dat land bestaat wel,' zei de jonge fiets.

'Een land waarvan je niet weet waar het is, bestaat niet,' antwoordde de kerstman. 'En met jou wil ik trouwens niet praten. Jij bent een oproerkraaier. Ik wil praten met een oude wijze fiets.' Een oude tandem reed naar voren tot vlak bij de kerstman. 'Ik herinner me dat ik jou tientallen jaren geleden gegeven heb aan twee mensen, die erg blij met je waren,' zei de kerstman. 'Als het zomer was maakten ze reisjes met je. Ze

picknickten aan de oever van een rivier en sliepen in de zon en jij stond onder een boom en je wist dat ze al het plezier van die dag aan jou te danken hadden. Ben je dat vergeten?'

'Nee,' antwoordde de oude tandem beschaamd.

'En wilde je die mensen nu hun plezier ontnemen?' vroeg de kerstman.

'Nee,' zei de oude tandem. 'Ik zal teruggaan. Dat land vinden we toch nooit. Daar heb ik nooit een minuut in geloofd.'

'Prachtig,' zei de kerstman en hij wenkte een kinderfiets bij zich. 'Jou heb ik verleden jaar aan een klein jongetje gegeven,' zei hij, 'en je weet heel goed hoe blij hij met je was. Je wilt dat jongetje nu toch opeens geen verdriet doen?'

'Nee, kerstman,' fluisterde de kinderfiets. 'Ik zal teruggaan.'

'Luister niet naar hem,' riep de jonge fiets uit. 'De kerstman werkt op jullie gevoel. Zijn jullie dan vergeten hoe jullie getrapt werden en verwaarloosd, hoe jullie nachten lang buiten moesten staan, hoe jullie op de weg bleven liggen en er niemand naar jullie omkeek als er een ongeluk gebeurd was? Zijn jullie dat dan allemaal opeens vergeten?'

Maar de fietsen luisterden niet meer naar de jonge fiets. Ze draaiden zich om en volgden de kerstman terug naar de stad. Rinkelend gleed de arrenslee over de wegen onder de sterren door en duizenden fietsen reden in zijn spoor terug naar de stad, terug naar de mensen aan wie zij behoorden en die hen niet konden missen. Het was nog geen morgen toen zij de stad bereikten en zij ieder hun gang, hun trapportaal en hun rijwielstalling weer opzochten, zonder dat de mensen iets van hun verdwijning hadden gemerkt. Want zo zijn de mensen, ze hebben een grenzeloos vertrouwen in de dingen die hun toebehoren.

Alleen de jonge fiets keerde niet terug. Hij reed verder de nacht en het land in, op zoek naar het land waar de fietsen rechten hebben, waar ze niet meer getrapt en bestuurd worden, waar de mensen de fietsen liefhebben, dat land waarvan hij wist dat het er was, maar niet wist waar het was. En op een dag zal hij dat land vinden.

Van Remco Campert is verkrijgbaar:

Kinderverhalen

Gerard Delft

De mooiste boom van het bos

'Haas,' zei Konijn, 'zullen we een kerstboom gaan uitzoeken?'
'Maar Konijn,' zei Haas, 'het is nog lang geen Kerstmis.'
'Nu hebben we nog alle tijd,' zei Konijn.
Haas keek zijn vriend vragend aan.
'Straks moeten we kerstbrood bakken, kaarten schrijven, cadeautjes in-
pakken,' legde Konijn uit.
'Dat is waar,' zei Haas.

Even later gingen ze op weg. Konijn liep steeds vooruit en wachtte
daarna ongeduldig tot Haas bij hem was.
'De bomen lopen niet weg, Konijn,' zei Haas dan. 'Heus niet.'
En dat klopte. Want toen ze in dat deel van het bos kwamen, waar de
kerstbomen groeiden, stonden ze er allemaal nog.
'Wat zijn het er veel,' riep Konijn opgetogen. 'Wel honderd.'
Toen ging hij op zoek naar een boom, die niet te klein of te groot was.
En waar geen kale plekken of bruine naalden aan zaten. Als alles klopte,
riep hij Haas. Die voelde aan of het een echte kerstboom was. Zo'n
boom, die je huis vulde met warmte en gezelligheid. Als hij zijn hoofd
schudde, zocht Konijn weer verder. Zo waren zij wel een uur in de weer.
Opeens knikte Haas: 'Ja, Konijn, dat is 'm,' zei hij plechtig.
'Mooi,' zei Konijn. Hij haalde een krijtje uit zijn zak, boog wat takken
opzij en tekende een kruisje op de stam.

Na een week vroeg Konijn: 'Zullen we kijken of ie er nog staat?'
'Wie?' vroeg Haas, die in het 'boek-voor-het-bakken-van-kerstbroden'
bladerde.
'Onze kerstboom!'
'Natuurlijk is die er nog, Konijn. Kerstbomen lopen niet weg. Dat weet
je toch.'

'Je kunt nooit weten,' zei Konijn zorgelijk.

Toen trok Haas zijn jas aan, want hij wilde niet, dat zijn vriend zich ongerust zou maken.

Bij het kerstbomenbos, begon Konijn meteen naar de boom met het kruisje te zoeken. Maar hoe hij ook zocht: hij kon hem nergens vinden.

'Wacht eens,' mompelde Haas, 'het heeft de laatste tijd flink geregend.'

Konijn schrok: 'Kon onze boom daar dan niet tegen? Is ie verdronken?' stamelde hij.

'Welnee,' antwoordde Haas. 'Het kruisje is gewoon weg geregend.'

'Gelukkig,' zuchtte Konijn. 'Dan moet ie hier nog zijn.' En hij ging op zoek naar hun boom, die niet te klein of te groot was. Er waar geen bruine naalden of kale plekken aan zaten. En waar Haas het 'kerstgevoel' bij kreeg.

Toen ze de boom gevonden hadden, leek het of hij op een andere plaats stond. Maar dat zou wel verbeelding zijn.

'Wat is ie mooi, hè?' zei Konijn. Hij had het warm van het zoeken gekregen en veegde met een zakdoek het zweet van zijn voorhoofd. Daarna haalde hij het krijtje uit zijn zak.

'Ho, ho,' zei Haas. 'Dat lijkt mij niet zo'n goed idee. Straks spoelt de regen het kruisje er opnieuw af.'

'Wat moeten we dan doen?' vroeg Konijn.

'Je zakdoek,' zei Haas. 'Hang je zakdoek in de boom, dan vinden we hem gemakkelijk terug.'

Konijn vond het een goed idee en even later knoopte hij zijn zakdoek voorzichtig aan een tak vast.

Daarna gingen ze snel naar huis, want Haas moest nog een heleboel kerstbroden-recepten doorlezen.

Toen er weer een week om was, vroeg Konijn: 'Zullen we nog even gaan kijken Haas? Je kunt nooit weten.'

'Wat bedoel je,' vroeg Haas, die kerstkaarten aan het maken was. Want zelfgemaakte kerstkaarten, vond hij het leukst om te versturen.

'Je weet wel: onze boom.'

'Maar Konijn. Je maakt je zorgen om niets. Kerstbomen lopen niet…'
'Weg,' vulde Konijn aan. 'Maar toch maak ik me zorgen.'
Haas wilde niet dat zijn vriend zich zorgen zou maken. Ook niet om niets.
'Vooruit dan maar, Konijn,' zei hij. 'Maar pak je flink in; er staat een stevige wind.'

Bij de kerstbomen gekomen, zagen ze de zakdoek nergens. Konijn keek vertwijfeld naar Haas.
Die fronste zijn wenkbrauwen: 'Natuurlijk,' bromde hij, 'het heeft de laatste tijd vreselijk gestormd. Je zakdoek is weggewaaid, Konijn.'
'Dus dan is onze boom er nog,' zei Konijn. 'Ik ga hem meteen zoeken.'
En hij ging op zoek naar de boom van het kerstgevoel. De boom zonder kale plekken en bruine naalden. De boom die niet te groot of te klein was.
Toen ze hem voor de tweede keer hadden teruggevonden, leek hij

weer op een andere plaats te staan. Maar met zoveel bomen verbeeldde je je dat al gauw.

'Wat nu, Haas,' vroeg Konijn. 'De regen heeft mijn krijt weggespoeld en de wind heeft mijn zakdoek weggeblazen.'

Haas dacht diep na. Toen zei hij: 'Blijf bij onze boom staan, Konijn. Verlies hem geen moment uit het oog.'

'Tot het kerst is?' vroeg Konijn bezorgd.

'Nee,' lachte Haas. 'Tot ik terug ben.'

Hij rende naar huis en zocht een pot met een restje witte verf en een kwast. Konijn stond nog keurig bij de boom op wacht, toen hij terugkwam.

Haas verfde het topje van de boom, waar de piek op kwam, wit. 'Zo,' zei hij tevreden. 'Laat de wind en de regen nu maar komen.'

En de wind en de regen kwamen. De regen sloeg tegen de ruiten en de wind gierde in de schoorsteen. Een hele week lang. Maar Haas en Konijn zaten gezellig binnen. Konijn hielp Haas bij het bakken van het kerstbrood en het maken van de laatste kerstkaarten. En ze pakten de kerstcadeautjes in. Maar zo, dat ze niet zagen, wat ze voor elkaar gekocht hadden.

Toen Konijn op een morgen opstond, was het bijna kerst. Het regende en stormde niet meer en er buitelden sneeuwvlokjes door de lucht. Hij maakte Haas wakker en zei: 'Vandaag moeten we onze boom halen, Haas.' Daarna zette hij thee en maakte het ontbijt klaar. Meestal deed Haas dat, maar Konijn wilde deze morgen geen tijd verliezen.

Nadat ze zich warm hadden aangekleed, haalde Haas de zaag uit de schuur. Konijn had de slee al van de zolder gehaald. Daar konden ze de boom mooi op leggen.

Even later liepen ze door het bos, dat nu een heel ander bos leek. Er lag een witte mantel op de grond. Een witte mantel, met zilveren glittertjes, die het ochtendlicht duizendvoudig weerkaatsten. Ze zeiden niets, maar genoten van de stille wereld om hen heen, waarin alleen hun voetstappen de sneeuw zacht deden kraken.

Toen ze bij de kerstbomen gekomen waren, slaakten ze een kreet van

verrassing. Koning Winter had alle toppen wit geschilderd. En niet alleen de toppen. Iedere boom was zo mooi versierd, dat er geen één voor de ander onderdeed.

'Vind jij niet,' zei Konijn zacht, 'dat elke boom nu een echte kerstboom is, Haas?'

'Ja,' antwoordde Haas. 'Zo voelt het. Zullen we die boom, die hier vooraan staat, gewoon maar meenemen?'

Konijn knikte. Ze zaagden de boom om en legden hem voorzichtig op de slee. En daarna trokken ze hem om beurten naar huis. Daar versierden ze de boom met engelenhaar, slingers en mooi gekleurde ballen. Ten slotte zette Haas de piek op de boom en verdeelde Konijn de kaarsjes over de takken. Daarna stak hij ze voorzichtig aan.

Haas keek naar Konijn en zag de lichtjes van de kaarsen in de ogen van zijn vriend weerspiegelen. Hij voelde zich gelukkig.

Konijn glimlachte naar hem en zei: 'Prettig kerstfeest, Haas. Zullen we een stukje kerstbrood nemen?'

Van Gerard Delft zijn de volgende boeken verkrijgbaar:

Snorrekat en Morremuis
'1 April, Haas,' zei Konijn
Babet Retteketet

Bas Rompa

Kerstliedje

De herders komen van de zolder.
Ze zaten daar dicht op elkaar.
Ze wachtten in hun vloeipapier
op Kerstmis, zoals ieder jaar.

Nu gaat de doos voor hen open.
Ze komen er ritselend uit.
De een met lam, de ander kaal,
de derde spelend op zijn fluit.

En in het stalletje bij de boom,
daar krijgen ze een plaats vooraan.
Ook dit jaar blijven ze weer stil bij
dat kindje in het kribje staan.

Leny van Grootel

De nacht van Koning Bas

Het begon allemaal, toen de moeder van Bas de kerstspullen naar beneden had gehaald. De dozen met ballen, de dozen met beeldjes en de kerststal van hout. De kerstboom werd versierd en Bas en zijn broertje Erik zetten één voor één de beeldjes in de stal. Maria en Jozef en het kindje in de kribbe. De os en de ezel. Herder Jan met zijn schaap. En de drie koningen, Melchior, Caspar en Balthazar. Het werd heel mooi, vooral toen het lampje in de kerststal ging branden. Rood licht viel op de kribbe en verwarmde het kindje, dat lachte van plezier. Bas kon zijn ogen er bijna niet vanaf houden en bleef maar kijken naar die stal. Tot de kleine Erik, die de hele tijd met het ezeltje had zitten spelen, zei:
'Waar isse paardje met de bultjes?'
Bas en zijn moeder keken hem verbaasd aan. Maar toen begon de moeder van Bas te lachen.
'Natuurlijk, slimmerik, je hebt gelijk. De kameel is er nog niet! Bas, pak jij hem even?'
Bas voelde onder in de doos, tussen de proppen krantenpapier. Maar er lag niks. In de ballendoos dan misschien? Maar nee, ook daarin was geen kameel te vinden. De kameel was weg, helemaal weg!
'Hoe kan dat nou?'
Bas' moeder trok een rimpel tussen haar ogen.
'Ik weet toch zeker dat ik hem vorig jaar gewoon in de doos heb gedaan. Bij de drie koningen en het schaap.'
Ze zuchtte even.
'Nou ja, misschien staat hij nog op zolder. Ik zal straks wel even zoeken. Maar jullie moeten naar bed. Het is al bijna negen uur!'
'Mag ik nog even blijven kijken?' vroeg Basje. 'Je moet toch eerst Erik in bed leggen.'
'Vooruit dan maar.'
Bas' moeder tilde Erik op en liep met hem de trap op. En Bas? Bas

leunde met zijn kin op de tafel, en keek naar het kindje in de stal. Wat was het lief, wat was het mooi. En... was het nou verbeelding of was het echt? Knipperde het kindje met zijn ogen? Ja, Bas wist het zeker. Het kindje keek hem echt aan. En toen moest het niezen, heel zachtjes, zoals baby'tjes doen. Hatsjie! Van het stof in de stal. En van al die kriebelstrootjes. En dan...

Bas kijkt verbaasd rond. Nu staat hij zélf in de kerststal! Zomaar tussen Jozef en de herder. Hij ruikt het verse hooi. En hij voelt hoe de wind door de kieren blaast. Herder Jan stoot hem aan met zijn herdersstaf.
'Pssst...' fluistert die, 'bent u niet een beetje te vroeg? De koningen komen pas over een week! Die staan nog buiten, onder de palm!'
Bas weet niet hoe hij het heeft.
'U vergist zich,' fluistert hij. 'Ik ben geen koning. Ik ben gewoon Bas!'
De herder schudt zijn hoofd.
'Gewone Bassen dragen geen kroon,' zegt hij. 'Maar al heeft u een kroon van zuiver goud, daarom hoeft u nog niet vóór te kruipen! Wij herders mogen het eerst in de stal. Dat is altijd zo geweest en dat zal ook altijd zo blijven.'
'Maar ik ben echt geen koning,' wil Bas weer zeggen. Maar dan voelt hij iets op zijn hoofd. Iets ronds, iets zwaars. Hij pakt het. Het is een kroon. Niet zo'n gewoon verjaardagskroontje van karton. Nee, een gouden kroon met glinsterende stenen. De herder heeft gelijk, hij hoort hier niet.
Bas draait zich om en rent de stal uit. Hij wil naar Erik, hij wil naar bed. Maar het huis is er niet meer. Zelfs de kerstboom is verdwenen. Waar hij ook kijkt, Bas ziet alleen maar zand. En bergen. En een palmboom, onder de sterren.
Het is niet koud. Alleen de wind suist in zijn oren. En er klinken stemmen. Ergens dichtbij.
Bas loopt in de richting van het geluid. En dan ziet hij het. Daar, onder de palmboom, staan drie mannen. Drie mannen met lange mantels en een kroon op hun hoofd. De koningen! Ze praten steeds harder en maken wilde gebaren met hun handen. Het lijkt wel of ze ruzie hebben!

Maar als ze Bas zien houden ze op met praten. Ze maken een diepe buiging. En Melchior, de zwarte koning, zegt plechtig: 'Kijk, dat moet de koning uit het westen zijn. Opdat gebeurt wat altijd is voorspeld: eens zullen oost en west elkaar ontmoeten!'

'Maar ik ben de koning niet,' wil Basje weer zeggen. 'Bij ons ís er niet eens een koning, alleen een koningin.'

Maar de koningen pakken hem bij zijn hand en brengen hem naar een grote tent van gekleurde lappen, waarvoor een vuurtje brandt.

'Vergeef het ons, hoogheid,' zegt Balthasar, de koning met de witte baard, 'maar wij weten niet eens uw naam.'

'Maar ik...' zucht Bas. En dan neemt hij een besluit. Als iedereen hier denkt dat hij een koning is, nou, dan moet het maar zo zijn. Ontkennen helpt toch niet...

'Ik ben koning Bas,' zegt hij dan flink. 'Koning Bas uit Nederland.'

Nederland...? De koningen kijken elkaar vertwijfeld aan. Van dat land hebben ze óók nog nooit gehoord. Ze moeten toch eens een hartig woordje spreken met hun wijzen en raadgevers. Die doen altijd net of ze de hele wereld kennen!

'Hebt u een vermoeiende reis gehad?' vraagt koning Caspar.

Bas krijgt een kleur. Wat moet hij daar nou weer op zeggen? Hij heeft geen stap hoeven te zetten!

'Vermoeiend niet, sire,' zegt hij. 'Maar wel... eh... verrassend.' Gek, hij begint al bijna als een echte koning te praten!

'Ah,' roept Melchior uit. 'Wij willen graag al uw verrassingen horen!'

Hij klapt in zijn handen. En meteen staat er een bediende klaar.

'Breng ons een fles wijn,' roept Melchior. 'De beste die er is! Koning Bas, u ook een glas?'

'Nee, nee,' roept Bas. Een glas wijn, stel je voor! Straks gaat ie nog zingen, net als opa Willem, als die een glaasje wijn gedronken heeft.

'Geef mij maar cola,' wil hij zeggen. Maar het hoeft al niet meer. Een andere bediende komt hijgend aangelopen.

'Koning! Koning! Koning!' En als hij Bas ziet staan, roept hij nog een keer: 'Koning!'

Balthasar, Melchior en Caspar kijken ontstemd op. Het wordt net zo gezellig, ze willen niet gestoord worden. Maar de bediende blijft maar roepen en hij trilt van top tot teen.

'Zeg het dan, maar wel een beetje vlug,' zegt koning Melchior.

'De kameel!' roept de bediende. 'De kameel is weg! Zomaar verdwenen. Met zadeltas en al! Iemand moet hem hebben gestolen!'

De koningen worden lijkbleek. Ze denken niet meer aan wijn of mooie verhalen.

'De kameel gestolen?' stamelt Caspar. 'Met alle geschenken? Het kostbare goud, de zuivere wierook en de heerlijke mirre? Maar dat is verschrikkelijk. Wat moeten wij nu geven aan het kindje in de stal? De pasgeboren koning? We kunnen toch niet met lege handen aankomen?'

Verslagen zitten ze rond het vuur. Koning Caspar staart somber in de vlammen. 'Weken hebben we gereisd,' zegt hij. 'Helemaal voor niets.' Dan kijkt hij naar Bas.

'Wat raadt u ons aan, koning Bas? Teruggaan? Nu meteen?'

'Ik zou eerst gaan zoeken,' zegt Bas. 'De kameel kan toch nog niet zo ver weg zijn?'

'Dat bedoel ik nou!' roept Melchior uit. 'Dat is nou typisch een westerse oplossing. Koning Bas heeft gelijk. Als we hier blijven zitten, verandert er niets.'

'Maar wáár moeten we dan zoeken,' klaagt Balthasar. 'In het noorden, het oosten, het westen of het zuiden? De woestijn is zo groot!'

'Gewoon ieder een kant uit,' zegt Bas. 'Dat doen we thuis met spoorzoekertje ook altijd.'

'Ja...ja...' zeggen de koningen, alsof ze het helemaal begrijpen. En dan vertrekken ze, ieder naar één kant.

Bas loopt terug naar waar hij vandaan gekomen is. Langs de stal, waar het licht door de kieren schijnt. De os loeit zacht. Bas zou wel even naar binnen willen kijken, maar daar is nu geen tijd voor.

Gelukkig geeft de grote ster boven de stal wat licht. En ook de maan schijnt helder. Hij verlicht de hele wijde zandvlakte. En Bas heeft geluk. Bijna meteen ontdekt hij afdrukken van kamelenhoeven. Met grote voetstappen ernaast!

Lelijke dief, denkt Bas. En dan begint hij te rennen. Over de sporen, naar het westen. Hij rent en rent zo hard hij kan! Het zand stuift naar alle kanten.

Af en toe blijft hij even staan, om in de verte te turen. Ziet hij die kameel nou nog niet? Maar eindelijk, net als Bas denkt, die haal ik nooit meer in, ziet hij een groepje palmbomen. En daar, vastgebonden aan een dik touw, staat de kameel.

Bas sluipt op zijn tenen dichterbij. De kameel kijkt hem angstig aan. Op zijn linkervoorpoot zit een lelijke schaafwond. Bas klopt hem op zijn hals.

'Rustig maar,' zegt hij. 'Ik ben Bas, ik doe je niks. Ik kom je alleen maar ophalen.'

De kameel knikt en zegt: 'Dan moet je wel vlug zijn. De man die me gestolen heeft, ligt daar achter die zandberg. Hij kan elk moment wakker worden.'

Vlug maakt Bas het touw los. Hij is niet eens verbaasd. Als hij zelf opeens een koning is, waarom zou een kameel dan niet kunnen praten! De kameel knielt in het zand.

'Ga maar op mijn rug zitten,' zegt hij. Bas klimt in het holletje tussen de twee bulten en slaat zijn armen om de voorste bult. Twee tellen later stuiven ze door de woestijn. Als Bas achterom kijkt ziet hij nog net hoe de dief achter de zandhoop vandaan komt en zijn vuist in de lucht steekt. Bas durft de bult niet los te laten, anders had hij eens lekker een lange neus gemaakt naar die lelijke bedrieger.

Opeens stopt de kameel. 'Mijn been,' klaagt hij. 'Ik moet even rusten.'

Daar staan ze dan, midden in de woestijn. Tot overmaat van ramp steekt de wind op. En niet zo zachtjes.

'Een zandstorm,' mompelt de kameel. 'Ook dat nog!'

Het zand waait voor hun voeten weg. Het dringt in Bas zijn ogen en oren. Tussen zijn kleren. Het knarst tussen zijn tanden en plakt aan zijn lippen.

De kameel gaat liggen en Bas zoekt een plekje waar de wind hem het minst raakt. Hij houdt zijn ogen stijf dicht. Denkt aan Erik, in zijn warme bedje. Maar dat is zo ver weg...

Uren zitten ze zo samen, dicht tegen elkaar. Het lijkt wel of de storm nooit ophoudt! Bas zit al tot zijn neus toe onder het zand.

Maar dan gaat de wind even plotseling liggen als ie is opgestoken. Bas wrijft het zand uit zijn ogen en graaft zich vrij. Ook de kameel staat weer op. Ze moeten snel verder. Maar... alle sporen zijn weggeblazen. Welke kant moeten ze nu uit?

Ook de maan en de sterren kunnen de weg niet wijzen. Grote zandwolken drijven nog door de lucht.

'Mijn gevoel zegt, díe kant op,' zegt de kameel en hij begint te lopen. Het gaat niet zo gemakkelijk. De wond aan zijn poot doet steeds meer pijn. Maar ook Bas krijgt stijve benen. De zadeltas die over de rug van de kameel hangt, zit vreselijk in de weg.

Dan horen ze iemand roepen. 'Help! Help! Help asjeblieft!'

De kameel verandert van richting en gaat op het geluid af. Drie kinderen zitten in het zand. De kleinste lijkt net Erik, met zijn blonde kuif. Bas springt van de kameel.

'Wat zitten jullie hier in het zand?' zegt hij. 'Waar is jullie huis?'

'Wij wonen niet in een huis,' zegt de oudste. 'Wij zijn herders, wij wonen in een tent. Maar die is weggewaaid.'

Hij kijkt omhoog, alsof de tent ergens in de lucht is blijven hangen. De kleintjes barsten in snikken uit. De grote jongen droogt hun tranen met de stof van zijn jas.

'Die tent is het ergste nog niet,' zegt hij dan. 'Maar onze schapen zijn ook verdwenen. Verdwaald in de storm. Nu hebben we niets meer.'

Bas kijkt de jongen met open mond aan. Stel je voor, drie kinderen alleen, zonder huis! En dat terwijl er in die tas... Bas durft bijna niet verder te denken. Maar hij kan die kinderen hier toch ook niet zo achter-

laten. Dan maakt hij de zadeltas open en haalt er een ebbenhouten kistje uit. Dat kistje zit vol met gouden munten.

'Denk je dat dit genoeg is voor een nieuwe tent en een stel nieuwe
schapen?' vraagt hij aan de jongen. Die knikt sprakeloos. Bas geeft hem
het goud, en klimt weer op de kameel.

Een beetje een raar gevoel in zijn buik heeft hij wel. Wat zullen de koningen zeggen als ze horen dat hun goud al weggegeven is?

Maar ach, denkt Bas, ze hebben toch de wierook en de mirre nog! En
bovendien, wat moet zo'n baby nou met goudstukken?

Ze rijden verder. De kameel is opgelucht.

'Dat loopt een stuk lichter,' roept hij uit. 'Mijn poot doet nu veel minder pijn.'

Maar... hij is nog geen halve kilometer verder, of hij staat al weer stil.

'Hoor je dat?' vraagt hij aan Bas. 'Mensengeluid!'

En ja, een eindje verder, sjokt een man naast een ezeltje. Hij zingt een treurig lied.

Bas springt van de kameel.

'Waarom zingt u zo treurig?' vraagt hij.

'Ach,' zegt de man, 'dat komt door mijn vrouw. Ze ligt al dagen ziek op bed. En niemand die kan helpen.'

'Wat heeft uw vrouw?'

De man wijst op zijn borst.

'Mijn vrouw krijgt bijna geen adem. Ze heeft het zo benauwd. Een beetje wierook, dat zou haar goed doen. Maar wierook is kostbaar, dat kan ik niet betalen.'

Bas bedenkt zich geen ogenblik. Hij maakt de zadeltas open en haalt er een goudgeborduurd zakje uit. Dat zakje zit vol met wierook-korreltjes.

'Denk je dat dit genoeg is om uw vrouw weer beter te maken?' vraagt hij. De man knikt sprakeloos. Bas geeft hem de wierook en klimt weer op de kameel. Een beetje kriebels in zijn buik heeft hij wel. Wat zullen de koningen zeggen als ze ontdekken dat ook de wierook weg is?

Nou ja, denkt Bas. Ze hebben altijd de mirre nog. En trouwens, wat moet zo'n kleine baby met wierook?

Ze rijden verder. De kameel is opgetogen.

'Nóg een vrachtje minder,' lacht hij. 'Kijk eens hoe goed ik mijn poot al weer buig?' En verder gaat het door het zand.

Maar… hij heeft nog geen halve kilometer gelopen of hij staat al weer stil.

'Hoor je dat?' vraagt hij aan Bas. 'Vrouwenpraat!'

En ja, een eindje verder zien ze twee vrouwen, met manden op hun rug. Ze lopen voorovergebogen, alsof ze naar iets op zoek zijn.

Bas springt van de kameel.

'Bent u iets kwijt?' vraagt hij. 'Zal ik even helpen zoeken?'

De vrouwen schudden hun hoofd. En de oudste zegt:

'U kunt ons niet helpen. Wat wij zoeken is niet te vinden in deze dorre woestijn. We geven het op.'

'Wat zoekt u dan?' vraagt Bas.

'Wij zoeken naar de wonderbaarlijke mirrestruik. Daar maken we zalf van.'

'Zalf? Waarvoor?'

'Ach…' De vrouwen kijken Bas bedroefd aan. 'Alle kinderen in ons dorp zijn ziek. Ze hoesten en zitten onder de rode pukkeltjes. Als we mirre hadden, konden we ze beter maken.'

'Maar ik heb mirre!' roept Bas. Hij maakt de zadeltas open en haalt er een marmeren potje uit. Het zit vol met mirre.

'Denkt u dat dit genoeg is om de kinderen weer beter te maken?' vraagt hij. De vrouwen knikken sprakeloos. Bas geeft hun de mirre en klimt weer op de kameel. Met véél kriebels in zijn buik. Wat zullen de koningen zeggen als ze ontdekken dat er én geen goud, én geen wierook én geen mirre in de tas zit?

De kameel is helemaal door het dolle.

'Ik heb het nog nooit zo gemakkelijk gehad,' juicht hij. 'Ik moet altijd maar zware vrachten sjouwen. Zó hou ik het nog wel honderd kilometer vol!'

Maar Bas geeft geen antwoord. Ineengedoken zit hij tussen de bulten.

'Is er iets?' vraagt de kameel na een tijdje.

'Ja,' zegt Bas. 'Wat zeggen we nu tegen de koningen?'

'Gewoon, hoe het gegaan is,' zegt de kameel.

'Maar als ze ons nou niet geloven?'

'Tja…' De kameel spuugt een keer flink in het zand. 'Tjaa…'

Intussen is de nacht bijna voorbij. Het schemert al in het oosten. Maar de wolken zijn weg en plotseling zien ze de ster. De ster boven de stal. Ze zijn er bijna.

Zacht ploffen de hoeven van de kameel in het zand. Ze rijden voorbij de stal, terug naar de palmboom. Het is er stil. De koningen slapen in hun tent. Bas heeft geen zin om ze wakker te maken!

Dan horen ze plotseling het kindje huilen, heel zachtjes en verdrietig. En Bas kan het niet helpen, maar hij móét even gaan kijken. Of de herder het nu leuk vindt of niet!

Op zijn tenen gaat hij de stal binnen. En gek, het kindje houdt meteen op met huilen. Het kijkt Bas met grote ogen aan.

Maria wenkt Bas om dichterbij te komen.

'Moet jij niet naar huis, Bas?' vraagt Maria. 'Je moeder is vast ongerust.'

'Ik weet niet meer waar thuis is,' zegt Bas. ''t Is vlakbij maar ik kan het niet vinden.'

Maria lacht.

'Ik zal je de weg wijzen,' zegt ze. 'Maar eerst wil het kindje iets tegen je zeggen.'

Na een kameel die praten kan, is een pratende baby al bijna gewoon. Bas buigt zich over de kribbe. Het kindje lacht.

'Bedankt voor het goud, de wierook en de mirre,' zegt het.

Bas kijkt beschaamd.

'Nee, nee,' zegt hij, 'dat gaat niet door. Ik heb het allemaal weggegeven. Trouwens, het waren niet míjn geschenken, maar de geschenken van de drie koningen. En die weten nog van niks.'

'Jij hebt ervoor gezorgd dat al die rijkdom eerlijk werd verdeeld,' zegt het kindje weer. 'En in dat geval heb je het aan míj gegeven. Snap je?'

'Niet helemaal,' zegt Bas. 'En hoe moet het nou met de koningen? Die komen nu met een lege tas!'

Nu kraait het kindje van plezier.

'Maar dat is juist heel goed! Wij hebben een lange reis voor de boeg, Maria, Jozef en ik. Op de ezel, helemaal naar Egypte. Een lege tas kunnen we goed gebruiken! We kunnen hem vullen met écht belangrijke dingen. Met voedsel, drinken, en warme kleren. Goud en wierook kun je nu eenmaal niet eten!'

Dan krijgt Bas een idee.

'Neem dan mijn kroontje,' zegt hij. 'Dan heb je tenminste nog íets!'

Hij wil het van zijn hoofd pakken. Maar... hij hééft geen kroon meer. En dan voelt hij Maria's hand, die hem zachtjes naar buiten duwt. En daar staat hij dan, op zijn blote voeten, naast zijn warme bed...

Bas' moeder komt juist zijn kamer binnen.

'Ben je wakker geworden?' zegt ze. 'Je was in slaap gevallen bij de kerststal, weet je dat? Ik heb je naar boven moeten dragen.'

Ze strijkt Bas over zijn haar.

'Kijk, de kameel,' zegt ze. 'Hij lag achter het poppenhuis, op zolder.
Maar hij is wel een beetje beschadigd...'

Bas knikt. Hij weet er alles van. Aan de linkervoorpoot. Maar hij zegt
niets.

'Ach, en weet je wat ik ook mis?' zegt moeder. 'De zadeltas. Wat jammer nou. Hij was van echt leer. Ik ben bang dat de muizen hem hebben opgegeten. We moeten toch maar eens een val zetten, op zolder.'

Maar Bas is opeens helemaal wakker.

'Muizen?' roept hij. 'Nee, dat kan niet. Ik heb geen muis gezien vannacht. Maar wacht eens...'

Bas duwt zijn moeder opzij en holt de trap af.

Hij rent recht naar de kerststal. Het lampje brandt, het kindje lacht.
En... achter de kribbe staat de ezel. Met over zijn rug de kamelentas!

Bas lacht naar het kindje. 'Ik dacht het al,' zegt hij. 'Precies wat je wou!'

En de volgende dag knipt Bas een dekentje van stof, en stopt het in de
tas. Met wat stukjes brood en een snoepflesje vol water.

'Asjeblieft,' fluistert hij, 'dat is voor Maria en Jozef en jou. Voor de reis
naar Egypte, weet je wel.'

Dan neemt hij de kleine Erik op schoot om het hele verhaal te vertellen.

Van Leny van Grootel zijn de volgende boeken verkrijgbaar:

De flipperkoning
Knettergek
Hanna, een zusje voor zes maanden
De anti-horror-heks
Nina Regenboog
Nog één keer toveren

Mieke van Hooft

De sneeuwboom

Roza's mond is een dun streepje. En ook aan haar ogen kun je zien dat ze boos is. Ze zucht een keer heel hard.

Mama Mira weet wel dat Roza boos is. Maar ze doet net of ze het niet merkt. Ze zit aan tafel en schrijft kerstkaarten. Roza schopt tegen de kast. Papa Hans leest de krant en neemt af en toe een slokje koffie uit de beker die naast hem staat.

Opnieuw kijkt Roza naar het piepkleine kerstboompje dat op tafel staat. Wie heeft er nou zo'n klein boompje! Het lijkt wel een baby-boom, een kabouterboom. En de kerstballen die erin hangen lijken wel knikkers.

Buiten aan de overkant kan ze het huis van Cis zien. Bij Cis staat een reuzenboom voor het raam. Wel zo hoog als het plafond.

Papa Hans slaat de krant dicht. 'Moet je zien hoe hard het sneeuwt,' zegt hij. 'Waarom ga je niet naar buiten, Roza? Er ligt al genoeg om een sneeuwpop van te maken.'

'Ik ben boos!' zegt Roza. En ze stampt met een voet op de grond.

'Hè, wat doe je flauw,' zegt papa. Hij trekt haar naar zich toe. Ze spartelt maar hij houdt haar stevig vast. 'Roza, wees nou eens een flinke meid. Mama en ik snappen best dat je liever een grotere boom wilt. Maar kijk nou eens om je heen… Daar hebben we toch helemaal geen plaats voor.'

Roza kijkt nog bozer. 'En toch wil ik het!' Opnieuw stampt ze op de grond.

Op dat moment komt Cis binnen. Haar jas en muts zijn helemaal wit. 'Kom je buiten spelen?' vraagt ze. Meteen ziet ze het boompje. 'O, wat een kleintje!' roept ze. 'Wij hebben een hele grote!'

Roza begint hard te huilen.

'Wat is er?' vraagt Cis.

Papa Hans schudt zijn hoofd. 'Roza is een beetje boos en verdrietig maar dat gaat dadelijk wel over. Ik ga met je mee, Cis. Ga jij ook mee, Mira?'

'Ik?' vraagt mama Mira. 'Hoezo? Waar naar toe? Wat gaan we dan doen?'

'Dat zie je zo wel,' zegt papa. Hij pakt Roza bij haar kin. 'Kijk jij maar door het raam. Of wil je mee naar buiten?'

'Nee!' schreeuwt Roza. 'Ik wil niet mee!' Ze laat zich in een stoel vallen en verstopt haar hoofd tussen haar benen. Snikkend blijft ze zo zitten totdat iedereen weg is. Ze kan hun stemmen horen. Maar ze kijkt niet! Ze weet toch wel wat ze gaan doen: een sneeuwpop maken.

Ze hoort papa iets roepen, maar ze kan er niets van verstaan. Cis en mama lachen.

Roza wíl niet kijken. Maar het is zó moeilijk om dat niet te doen. Langzaam draait ze haar hoofd in de richting van het raam. Cis en mama scheppen emmers vol sneeuw en gooien die op een grote hoop. Op de grond liggen een heleboel stokken. Wat gaan ze daarmee doen? Roza drukt haar neus tegen de ruit. Hans heeft een kist gepakt en zet hem naast de sneeuwberg die nog steeds hoger wordt. Ineens kijkt hij om en ontdekt Roza voor het raam. Ze duikt weg maar ziet nog net dat hij naar haar zwaait.

Nou, ze kijkt toch niet meer hoor! Ze wil niet eens wéten wat ze doen. Ze kijkt wel naar dat stomme kerstboompje! Dat ukkie-pukkie-kerstboompje met die ukkie-pukkie-kerstballetjes erin!

Ze hoort Cis juichen.

'Ik ben boos!' Roza roept het heel hard. Als het kerstboompje oren had, zou hij er bang van worden!

Voorzichtig komt ze overeind. Ze gluurt nét over de rand van de vensterbank. De sneeuwberg is heel hoog en spits. Papa steekt stokken door de berg. De onderste stok is breed en de stokken daarboven worden steeds korter. Wat is dat nou voor een rare sneeuwpop?

De berg is hoger dan papa Hans. Hij moet op de kist klimmen om de bovenste stok erdoor te kunnen steken.

Mama en Cis hebben nog meer emmers vol geschept met sneeuw. Nu blijven ze bij de berg staan en plakken ze de sneeuw tegen de stokken. Ineens snapt Roza wat ze maken. Een kerstboom! Een superhoge sneeuwboom! Nog hoger dan de boom die bij Cis voor het raam staat! Nu wil ze niet langer binnen blijven! Ze rukt haar jas en muts van de kapstok en rent naar de anderen. 'Ik kom helpen!' gilt ze.

'Hè, hè,' zegt papa Hans. 'We dachten al dat je nóóit meer zou komen! Vind je hem hoog genoeg?'

Roza knikt. 'Mogen er ook kaarsjes in?' vraagt ze.

Dat mag. Mama Mira drukt in iedere sneeuwboomtak een rood kaarsje. En Roza en Cis mogen ze aansteken.

Else van Erkel

De sneeuwprinses

's Nachts was de sneeuw gekomen.

Toen Peter wakker werd, hoorde hij het meteen. De geluiden buiten klonken anders, zachter. Snel liep hij naar het raam. Rondom hun houten huis was alles wit. Alles. De weg naar het dorp in het dal, alle daken van de huizen, zelfs het topje van de kerktoren. En de bergen en de bossen en de weides natuurlijk. De hele wereld was wit.

Op zijn blote voeten liep Peter naar de kamer waar oma sliep.

'Oma, wordt eens wakker! Het heeft gesneeuwd!'

Oma deed haar ogen open en glimlachte.

'Is het nu gauw Kerstmis?' vroeg Peter.

'Ja, over twee dagen!' Ze ging op de rand van haar bed zitten. 'Kom, kleed je aan, dan maak ik ondertussen warme pap.'

Een half uur later stond Peter in de sneeuw. Hij maakte een weggetje van voetstappen. Daarna ving hij grote sneeuwvlokken op zijn tong en liet ze smelten. Toen haalde hij zijn slee uit de schuur en gleed honderd keer naar beneden op het schuine stuk naar de weg. Ten slotte begon hij aan een sneeuwpop. Eerst rolde hij een grote bal. Daarop kwam een kleinere en de kleinste was het hoofd. Oma gaf hem een oude hoed die nog van opa was geweest, een wortel voor de neus, twee knopen voor de ogen en een stukje hout voor de mond.

Toen de sneeuwpop klaar was, kwam oma kijken.

'Wat een mooie sneeuwman,' zei ze.

'Ik vind hem niet mooi,' zei Peter.

'Waarom niet?'

Hij haalde zijn schouders op. 'Hij is niet echt!'

Oma zei niets.

'Ik maak hem anders,' zei Peter na een poosje.

Oma streek over zijn wang. 'Dat is een goed idee!'

Hij gaf de hoed en de wortel en de knopen aan oma terug en begon opnieuw. Tegen de onderkant schoof hij laagjes sneeuw. Laagje voor laagje voor laagje, heel precies. De malle ronde onderkant veranderde in een soort lange rok.

Op een afstandje ging hij staan kijken. Nu de pop toch een rok had, kon hij er net zo goed een meisje van maken. Een prinses. Een sneeuwprinses.

Nu ging het gemakkelijker. Hij maakte het lijf, de armen, het hoofd.

'Tijd voor een boterham,' gebaarde oma vanachter het raam.

Daarna ging hij verder met het haar. Hij was er meer dan een uur mee bezig. Lange, golvende haren maakte hij, zo mooi hij kon.

'Tijd voor thee,' tikte oma tegen het raam.

Ten slotte maakte hij het kroontje. Het werd al donker.

Toen was ze klaar. Peter rende naar de deur en bonkte erop.

'Oma, kom kijken! Mijn sneeuwprinses is klaar!'

Toen oma haastig naar buiten kwam, sloeg ze haar handen voor haar mond.

'Oh Peter! Wat prachtig!'

Stil stonden ze samen een hele poos naar het witte meisje te kijken. En het leek wel, of het meisje terugkeek. Ze glimlachte een beetje.

'Hoe zal ik haar noemen?' vroeg Peter.

'Dat moet je zelf verzinnen.'

'Naar iets wits,' zei Peter. 'Weet jij iets, oma?'

Ze dacht even na. 'Lelies zijn witte bloemen.'

'Dan noem ik haar Lelie!'

's Avonds kon Peter moeilijk in slaap vallen. Telkens ging hij even zijn bed uit en keek door het raam naar buiten. In het maanlicht stond Lelie, zijn sneeuwprinses. Ze leek net echt.

Was dat maar zo, dacht Peter. Dan konden ze samen spelen. Samen glijden, samen sneeuwballen gooien. Kon hij maar toveren, dan toverde hij haar echt.

'Oma,' vroeg Peter de volgende ochtend vanachter zijn pap. 'Kunnen hele mooie sneeuwpoppen wel eens in echte mensen veranderen?'

Oma blies in haar pap. 'Misschien. Soms gebeuren er wonderen.'

'Wanneer dan?'

'Als je iets ontzettend hard wenst.'

'Hoe moet je dat dan doen?'

Oma legde haar lepel neer. 'Vanavond,' zei ze, 'is het kerstavond. Dan worden de kaarsjes in de grote kerstboom op het dorpsplein aangestoken. Eén voor één. Als het laatste kaarsje gaat branden, precies op dat moment, mag je een wens doen. Dat is altijd zo geweest. Dat was al zo, toen ik klein was.'

'En komt die wens dan uit?'

'Misschien,' zei oma raadselachtig en meteen stond ze op om de tafel af te ruimen.

Toen het schemerig werd, gingen oma en Peter op weg naar het dorp. Rondom de grote kerstboom stonden al veel dorpsbewoners. Ze zwegen toen de kerstboomverlichter de kring instapte, gehuld in zijn rode mantel. Alle mensen klapten in hun handen toen hij zijn smalle fakkel aanstak. 'Oh,' fluisterden ze bij het eerste kaarsje.

Met grote ogen keken de kinderen toe hoe hij kaarsje na kaarsje liet branden. Iemand gaf hem een trapje voor de kaarsjes hoger in de boom. Bij elk volgende kaarsje gingen de ogen van de kinderen en ook van de grote mensen steeds een klein beetje meer glanzen. Ten slotte straalde de grote boom en verlichtte het hele dorpsplein. Er brandde nog één kaarsje niet. Iemand bracht nu de hoge trap. Doodstil was het, toen de kerstboomverlichter langzaam tree voor tree naar boven klom. Helemaal bovenaan stak hij zijn fakkel uit en hield de vlam bij het bovenste kaarsje.

Bijna! dacht Peter en zijn hart bonsde.

Toen flikkerde het lichtje op. Tegelijk begonnen de klokken van de toren te luiden.

En Peter dacht: Ik wens dat Lelie echt wordt!

Nog warm van de gloed liepen Peter en oma over de donkere witte sneeuwweg terug naar huis. Hoe dichterbij ze kwamen, hoe harder Peters hart begon te bonzen. Zou Lelie...? Of zou ze niet...?

Nu waren ze bij het veld voor hun huis. De witte dennenbomen stonden er. De witte wasmolen. De witte houtstapel voor de haard. Maar nergens, nergens het witte meisje van sneeuw. Lelie was weg, alsof Peter haar nooit had gemaakt.

'Waar is Lelie?' fluisterde hij. Oma sloeg haar arm om zijn schouder.

'Ze is weggegaan,' zei ze rustig alsof dat heel gewoon was.

'Weggegaan? Maar, maar...' Op hetzelfde moment begreep hij het. Zijn wens was verhoord! Lelie was weggelopen, omdat ze lopen kon, net als hij!

'Waar is ze dan naartoe?' fluisterde hij en zijn stem sloeg over van opwinding. Zou ze een wandeling maken door het bos? Of, nog spannender, zat ze misschien te wachten in zijn stoel voor de open haard? Als oma en hij binnenkwamen, zou ze opkijken!

'Misschien is ze binnen!' fluisterde hij.

Oma duwde hem zacht voor zich uit naar de deur. 'Ik denk van niet. Je moet nu gaan slapen. Morgen zullen we haar gaan zoeken.'

Het duurde nog langer dan de vorige dag voor Peter in slaap viel. Toen droomde hij van een meisje met golvend blond haar en korenbloemblauwe ogen. Een meisje dat met hem speelde.

De volgende morgen stond er een kleine kerstboom naast de open haard. Eronder lagen enkele mooi ingepakte cadeautjes.

'Vrolijk kerstfeest!' wenste oma hem. Ze aten extra lekkere broodjes en Peter pakte zijn cadeautjes uit. Maar zijn gedachten waren bij Lelie.

'Ik begrijp het,' suste oma. 'Het liefst van alles wil je Lelie gaan zoeken.' Ze blies de kaarsjes uit en trok haar warme kleren aan.

'Kom maar mee,' zei ze.

Op de plek waar Lelie had gestaan, was een ondiep kuiltje in de sneeuw en daarvandaan liepen kleine voetstappen naar de weg. Met gloeiende wangen volgde Peter het spoor. Op de weg waren de voetstappen minder duidelijk, omdat er in de avond en nacht nog andere mensen over de weg hadden gelopen. Al snel waren de voetstappen niet meer te zien.

'Ze zijn weg!' riep Peter. Hij voelde hoe de tranen in zijn ogen kwamen. 'Komt ze terug of is ze voorgoed verdwenen?'

'Ze komt niet terug,' zei oma. 'Maar misschien kunnen we haar zonder spoor ook wel vinden. Kom maar mee.'

Ze liep de weg af, de bergwei op, waar een dikke laag sneeuw lag. Zonder veel te praten, ploeterden ze er doorheen. Hoger en hoger kwamen ze. Steeds verder weg van hun houten huis en het dorp.

'Hoe weet u, dat we goed gaan?' vroeg Peter af en toe.

'Sst,' hijgde oma, 'spaar je adem. We gaan goed, ik weet het.'

Ten slotte kwamen ze bij een groepje dennenbomen die dichter bij elkaar stonden dan de meeste bomen.

'Hier is het,' zei oma met een rood hoofd en duwde de takken van elkaar. Achter de bomen lag een huis. Het was wit, maar niet zoals dat van hen. Niet van hout, met sneeuw op het dak. Dit huis was zelf van sneeuw.

Oma klopte op de witte deur.

'Wij zijn het,' riep ze, 'Peter en zijn oma!'

De deur werd geopend door een jongetje van ongeveer Peters eigen leeftijd. Peter staarde hem aan. Dit jongetje kon lopen en praten, net als hij. Maar hij was niet van vlees en bloed. Hij was van sneeuw. Hij was een levend sneeuwjongetje!

'Dag Sneeuwpeter,' zei oma zacht.

Met een bang voorgevoel ging Peter achter oma en Sneeuwpeter aan naar binnen. Daar zaten nog meer kinderen. Sommigen iets ouder, maar de meesten ongeveer even oud als hij. En allemaal van top tot teen zo wit als sneeuw.

Een meisje stond op. Met een glimlach op haar gezicht liep ze op Peter af. Ze had lang golvend haar en een prinsessenrok. En een klein kroontje op haar hoofd.

'Dag Peter,' zei ze.

Hij lachte terug en voelde dat hij bloosde.

Peter en oma bleven de hele middag bij de sneeuwkinderen. Ze lachten en praatten met elkaar en deden spelletjes als sneeuwganzenbord. Sneeuwpeter bleef al die tijd het dichtst van allemaal bij oma in de buurt. En Lelie bij Peter. Ze was vrolijk en als ze lachte klonk dat als de zilveren belletjes van een arrenslee.

Ineens, zomaar, moest Peter aan iets vreselijks denken.

'Wat gebeurt er met jullie, als het lente wordt? Als de sneeuw gaat smelten? Smelten jullie dan ook?'

Alle sneeuwkinderen lachten tegelijk, maar Sneeuwpeter gaf antwoord: 'Nee hoor. Dan gaan we naar het topje van de berg. Daar ligt de eeuwige sneeuw. In die sneeuw blijven we de hele zomer en de herfst. Als de eerste sneeuw in het dal valt, komen we weer naar beneden.'

'Zo hoog kan ik niet komen,' zei Peter teleurgesteld.

Lelie raakte zijn hand aan. 'Zolang er beneden sneeuw ligt, kun je hier zo vaak komen, als je wilt!'

'Maar nu moeten we gaan,' zei oma. 'Voor het donker is, wil ik thuis zijn.'

Op de terugweg moest Peter zijn best doen om niet naar beneden te rennen of te huppelen in plaats van samen met oma te lopen. 'En kan ik volgend jaar ook zo vaak komen als ik wil? En het jaar daarna weer, altijd maar door?'

'Al word je honderd,' lachte oma. 'Alleen één ding moet je goed onthouden en het is erg belangrijk!'

Ze wachtte even voor ze het belangrijke ging zeggen.

'Je mag het nooit aan iemand vertellen!'

'En als ik dat toch doe?'

'Dan smelten de sneeuwkinderen. Voorgoed.'

Peter vond die gedachte nu al vreselijk.

'Ik vertel het aan niemand,' zwoer hij. 'Nooit.'

Terwijl ze verder liepen, vroeg hij zich af hoe oma al die dingen eigenlijk wist. Net als de weg naar het sneeuwhuis.

Hij wilde het oma juist vragen, maar slikte toen zijn vraag meteen weer in. Misschien mocht ze het niet vertellen. Nooit. Aan niemand!

Beneden hen zagen ze het dorp alweer liggen in het schemerdonker. De kaarsjes in de grote kerstboom gingen één voor één aan. Toen twinkelde ook het bovenste kaarsje. En Peter wist dat wensen uit kunnen komen, als je het maar graag genoeg wilde. Vooral op kerstavond.

Van Else van Erkel zijn de volgende boeken verkrijgbaar:

De eilanddroom
De vriend uit Amerika

Kees Jan Bender

Een kerstrecord

Camembert is een muis. Hij heeft de allerbeste vriend die er bestaat en die vriend heet Herman. Herman is postbode, nee Herman wás postbode. Hij was de beste bezorger van onbestelbare post in de hele wereld. Maar er kwam een dag waarop er voor hem te weinig werk was. Doordat steeds meer mensen berichtjes via het internet gingen versturen werden er steeds minder gewone brieven geschreven en op de post gedaan. En dus was er ook steeds minder onbestelbare post. 'Eervol ontslag' noemden ze het met mooie woorden, maar het komt er gewoon op neer dat Herman geen werk meer heeft. Daarom is hij ongelukkig. Hij zit diep in de put, al wil hij dat niet laten merken. Maar Camembert ziet het wel, want daar zijn zij per slot van rekening beste vrienden voor. En nu wil Camembert Herman opbeuren. Hij wil Herman een kerstcadeau geven. En niet zomaar een kerstcadeau, maar het beste kerstcadeau van de hele wereld. Maar wat?

Kerstmis komt dichterbij. Elke kerstkaart die ze krijgen doet Herman weer aan zijn oude werk denken. Hij wordt steeds stiller. Camembert piekert zich suf. Hij heeft alle cadeaufolders al duizend keer bekeken, maar het cadeau voor Herman staat er niet in. En Herman zelf is ook al weinig behulpzaam als Camembert er op onopvallende manier achter probeert te komen wat hij het liefste zou willen hebben. Bijvoorbeeld door onder het eten van de soep terloops te vragen: 'Herman, mag ik een soepstengel? Oh, en nog iets, als je op de rommelmarkt een olielamp zou kopen en daar blijkt later een geest in te zitten die je drie wensen laat doen, wat zou jij dan vragen?' Camembert lacht in zichzelf. Dit is een goede vondst, want nu krijgt hij drie antwoorden zonder dat het opvalt.
'Dat ik mijn baan terug heb, en mijn bureau, en mijn stoel,' zegt Herman zonder opkijken. Ai, dat onderwerp had Camembert nu net niet

willen aanroeren, want hij weet hoezeer dat Herman verdriet doet.

Onder het eten van de spaghetti probeert Camembert het opnieuw, want hij moet het toch weten. 'Herman mag ik de strooikaas van je? Oh, en nog iets, wat zou jij doen als je een miljoen zou winnen in de loterij?' Niet dat Camembert een miljoen te besteden heeft, hooguit twaalfguldenvijfentwintig, maar het antwoord op zo'n vraag biedt vast wel aanknopingspunten.

'Een speedboot kopen en dan op waterski's naar een tropisch eiland reizen om daar een witte kerst te vieren, nou goed,' bromt Herman.

Onder het toetje doet Camembert een laatste dappere poging om er ongemerkt achter te komen wat Herman het liefste zou willen hebben. 'Herman, wist je dat je met een klapschaats nog harder kan rijden? Oh, en nog iets, als je mocht kiezen, welk record zou jij dan op je naam willen hebben?'

Herman kijkt Camembert even verbaasd aan. 'Wat heb jij vanavond?' vraagt hij. 'Zit je soms weer een of ander avonturenboek te lezen. Je weet waar dat toe kan leiden hè. Ik zou voorzichtig zijn als ik jou was.' 'Geef nou antwoord,' dringt Camembert aan, 'een beroemd record, zo een waarmee je in de geschiedenisboeken komt.'

Herman denkt na. Hij kijkt de kamer rond en als hij de kerstboom ziet, dan weet hij het. 'Ik wou dat ik een kaart had mogen bezorgen in de stal van Bethlehem om Maria en Jozef te feliciteren met hun baby. De allereerste kerstkaart dus. Daarmee zou ik zo in het *Guinness Book of Records* komen, denk je ook niet? Ja dat zou ik graag willen met een wereldrecord in het *Guinness Book of Records* en dan hadden ze me nooit weg durven sturen. Ik zie het al voor me in de krant: postbedrijf stuurt beroemde wereldrecordhouder de laan uit. Onvoorstelbaar.'

Nu weet Camembert eindelijk wat Herman graag wil, maar daar is dan ook alles mee gezegd. Waar haalt hij zo snel een wereldrecord vandaan dat hij Herman met Kerstmis kan geven, een wereldkerstrecord nog wel.

Kerstmis komt snel dichterbij en Camembert weet nog steeds niet hoe hij in hemelsnaam met Kerstmis aan een wereldrecord kan komen.

De dag voor Kerstmis begint het te sneeuwen. Niet zo heel erg veel, maar genoeg om alles met een witte laag te bedekken. Je kan er net een sneeuwbal mee maken. En dat doet Herman ook.

'Gooi dan als je kan,' roept Camembert. Herman is vrij hopeloos met balspelen. Ook deze keer gaat de sneeuwbal niet recht op het doel af. Camembert oefent altijd met noten vangen en deze nieuwe uitdaging laat hij zich niet ontgaan. Hij rent op de sneeuwbal af en vangt hem keurig op, maar daar krijgt hij dit keer snel spijt van.

'Wat kan jij goed vangen,' zegt Herman lachend, als hij zijn vriendje bij zijn staart uit de sneeuwhoop tilt. Camembert moet dan ook lachen, omdat hij blij is Herman weer eens vrolijk te zien. 'Nou misschien wordt het dan toch nog wat met Kerstmis dit jaar,' waagt Herman te zeggen. Maar op het journaal die avond wordt dooi voorspeld. Geen witte kerst dus.

Dan krijgt Camembert een inval, een idee, een gouden idee, een idee dat twee vliegen in een klap slaat. Hij kan wel springen van opwinding, maar blijft met moeite toch rustig op de bank zitten. Het moet een verrassing blijven. Hij heeft ineens haast, hij moet nog zoveel doen en er is maar heel weinig tijd. Eerst moet Herman naar bed. Camembert doet na het eten net of hij moet gapen en zegt slaperig tegen Herman: 'Ben jij ook zo moe na al die sneeuwpret?'

'Valt wel mee,' antwoordt deze tot Camembert's teleurstelling. 'Maar als je het niet erg ongezellig vindt ga ik vanavond wel vroeg naar bed want ik wil nog wat lezen.' Camembert kan wel juichen, maar hij laat het niet merken. 'Nu al? Ach misschien is dat niet eens zo'n slecht idee. Ik denk dat ik er ook maar eens vroeg induik,' en hij gaat zijn tanden poetsen.

Een poosje later is het stil in huis en ook buiten is het stil. Dat komt doordat de sneeuw die er nog ligt het geluid dempt, weet Camembert. Stil trekt hij zijn laarzen aan, doet zijn das om en pakt een theelepel, want hij heeft een schep nodig. Camembert heeft ooit van Herman een kruiwagentje gekregen en dat komt nu goed van pas. Buiten schept hij de kruiwagen vol met sneeuw en brengt die lading naar de keuken. Daar doet hij ook nog zijn muts op, want waar hij nu naar toe gaat is het nog kouder dan buiten. Hij opent de deur van de ijskast en kiepert de kruiwagen leeg in het vriesvak. Dan gaat hij weer terug naar de tuin. Camembert is de hele nacht in de weer met vrachten sneeuw. Eindelijk is het klaar. Hij is heel tevreden met het resultaat. En dan eindelijk naar bed. Morgen is het Kerstmis.

'Camembert, Camembeeert, Camembeee-ert! Wat een slaapkop zeg.' Herman heeft het kerstontbijt klaar, met kaarsjes en al, maar Camembert is nog niet verschenen. 'Camembeee-ert, Keeeeerstmiiiiis,' roept Herman nog eens.
Het wordt al licht buiten. Herman doet de gordijnen open. De sneeuw is verdwenen. Hij loopt teleurgesteld naar de tafel en blaast de kaarsjes

uit. 'Camembert heeft gelijk', mompelt hij bij zichzelf, 'het is toch een kerst van niks. Je kan net zo goed in je bed blijven liggen,' en hij begint de tafel maar weer af te ruimen. Net als hij de deur van de ijskast open wil doen om de melk terug te zetten, moet er iemand achter hem heel hard niezen. Herman draait zich om en ziet een snipverkouden Camembert in de deuropening staan.

'Ja doe maar open Herm, Herm, hatsjoe, Herman,' zegt Camembert snotterend, 'en Gelukkig Kerstfeest.'

'Laat dat gelukkig maar zitten,' zegt Herman laconiek. 'De sneeuw is weg, ik heb voor niets de tafel gedekt en jij bent verkouden. Ga maar weer terug naar bed, om uit te zieken.'

'Heb je al in het vriesvak gekeken?' vraagt Camembert.

Herman kijkt hem verbaasd aan. 'Het vriesvak, wat heb ik daar nu te zoeken?' Maar Herman doet het vriesvak toch maar open en daar staat tot zijn grote verbazing een sneeuwpop. Een echte sneeuwpop met alles erop en eraan, twee ogen, een wortelneus en een hele rij knopen op zijn buik. De hoge hoed van de sneeuwpop zit al aan de bovenkant van het vriesvak vastgevroren. 'Wel heb ik ooit,' stamelt Herman, 'toch een witte kerst… heb jij die speciaal voor mij… helemaal alleen… en daardoor ben je nu zo verkouden… en misschien zelfs ziek.' Herman is diep geroerd door het cadeau en zoveel vriendschap.

'Hatsjoe,' Camembert vindt het helemaal niet erg dat hij verkouden is. Zijn opzet is geslaagd. 'En weet je wat het bijzondere is,' legt hij Herman uit, 'je kan deze sneeuwpop makkelijk bewaren. Je laat hem gewoon in het, hatsjoe, vriesvak staan en over een paar jaar heb je met Kerstmis de oudste sneeuwpop ter wereld. Dan kan je er zo mee in het *Guinness Book of Records* en heb jij je eigen wereldkerstrecord.

'Ben je nou helemaal,' zegt Herman. 'Dan komen er allemaal mensen kijken van de krant en de televisie met van die warme lampen en zo en voor je het weet smelt de sneeuwpop. Nee, ik hou dit cadeau liever voor mezelf dan kan ik er elke dag even naar kijken. Zelfs in de zomer. Dank je wel Camembert, dit is het mooiste cadeau van mijn leven. En nu gordijnen dicht en kaarsjes aan. Ontbijten!'

'Hatsjoe.'

Van Kees Jan Bender zijn de volgende boeken verkrijgbaar:

Camembert
Fleur's Fauna

Mies Bouhuys

Klokjes

Onze kamer ruikt naar mos,
onze kamer ruikt naar 't bos
en je moet van bomen
en van stilte dromen.
Alle kaarsjes zijn nu aan,
net alsof er sterren staan.
Niet ver weg, maar heel dichtbij
staan hun lichtjes rondom mij.
Alle zilveren klokjes zingen
over lichte blijde dingen
en in mij, waar ik ook ga,
klingelen die klokjes na.

Diet Verschoor

De kerstboom van Daan

Daan helpt op de markt bij de kraam met kerstbomen. Hij is bezig om de bomen op een keurige rij te zetten, groot bij groot, klein bij klein.

'Vandaag moeten we onze slag slaan,' zegt Dick. Hij is de baas van de kerstbomenkraam. Op gewone marktdagen verkoopt hij bloemen, maar in de weken voor kerst heeft hij een kraam met alleen maar kerstbomen. Ze staan in glimmende zwarte potten naast elkaar te geuren.

'Nog drie dagen Daan, dan moeten we door die berg heen zijn en dan zit iedereen lekker bij zijn eigen boom uit te rusten van het hele jaar.'

Daan knikt. Hij heeft dikke handschoenen aan zodat hij de bomen goed kan vasthouden.

'Hard schreeuwen,' lacht Dick, 'vanwege al die andere kramen, wij hebben de mooiste, waar of niet?'

Ze roepen samen: 'Twee tientjes voor de mooiste spar.' De mensen lachen. Ze blijven staan en bekijken de bomen. Iedereen lijkt vrolijker omdat het bijna kerstfeest is.

Daan schreeuwt zijn stem schor. Hij helpt Dick iedere zaterdag bij de bloemen. Zo verdient hij zijn zakgeld. Maar nu helpt hij hele dagen omdat het kerstvakantie is. Dick woont in dezelfde flat als Daan. Dick op driehoog. Daan op vierhoog.

De ouders van Daan houden niet van kerstfeest. Ze houden ook niet van kerstbomen. 'Het is een schijnheilig gedoe, dat hele kerstfeest,' zegt de vader van Daan. 'Eén keer per jaar vrede op aarde zingen, haha laat me niet lachen, daar hebben we wat aan. Wij doen niet mee aan die onzin. En al die bomen, dat is gewoon schande, straks staat er geen boom meer in de aarde.'

Daans moeder houdt ook niet van kerstfeest.

'Het is bespottelijk wat de mensen allemaal kopen met kerst,' zegt ze, 'het lijkt alsof ze niets anders doen dan zich volproppen. Wij doen daar niet aan mee. We eten heel gewoon en dat is al mooi genoeg. De halve wereld heeft niet eens te eten. Allemaal verspilling.'

De vader en moeder van Daan kijken allebei een beetje chagrijnig wanneer ze zo praten. Daan trekt een rimpel in zijn voorhoofd. Hij droomt van mooie kerstbomen, schitterend versierde tafels en van heerlijk eten.

'Het is helemaal niet leuk om niks te doen,' zegt hij, 'overal vieren ze feest behalve bij ons.'

'Zo is dat,' zegt Daans vader, 'ik ben al blij dat we een paar dagen niet hoeven te werken, dat is al feest genoeg, bij ons geen flauwekul in huis.'

Daan heeft een broertje van zeven jaar en een zusje van zes. Bert en Annemarie hebben verschrikkelijk gezeurd om een boom met mooie ballen en engelenhaar. Maar ze zijn opgehouden want als je zeurt in het huis van Daan dan krijg je een draai om je oren en niet zo'n zachte.

Daans vader is vrachtwagenchauffeur en Daans moeder werkt in een warenhuis. Soms zetten ze harde muziek aan en dan dansen ze door het hele huis. Daan kijkt daar graag naar, het is een prachtig gezicht. Maar lang duurt het nooit want als de muziek is afgelopen, begint zijn vader altijd weer snel te mopperen. Hij moppert over de hoge huur van de flat, over de vervuiling, soms ook op Dick, de bloemenman van driehoog die vaak zijn radio keihard aanzet.

Het liefst zou Daan zelf een kerstboompje kopen, zo'n mooi klein boompje. Maar hij durft er niet mee thuis te komen. Hij zou er echte kaarsjes in willen branden en dan zou hij voor Bert en Annemarie een verhaal willen vertellen. Op school heeft hij het kerstverhaal al een paar keer gehoord. Ze zouden heel stil zijn en dan zou hij...

'Hé Daan, sta niet te dromen, er wil iemand kopen.'

Daan schrikt. Achter hem staat een meneer met een enorme buik. Hij wijst naar een grote boom.

'Hoeveel kost deze?' vraagt de meneer aan Dick. Maar Dick wijst naar Daan: 'Hij weet alle prijzen.'

'Die grote is dertig gulden meneer, en die iets kleinere kost twee tientjes, en die...' Daan dreunt de prijzen op, 'en dat zijn blauwsparren, dat zijn de allermooiste die we hebben. En dat hele kleine boompje daar is al verkocht,' hoort hij zichzelf opeens zeggen.

'Stop maar,' knikt de meneer, 'deze wil ik hebben.'

'Dat is de allerhoogste boom,' zegt Daan.

'Ik heb een groot huis met een hoge hal en daar komt hij te staan. We versieren hem met alleen maar blauwe ballen.'

Daan ziet het voor zich, een enorme boom met blauwe ballen. Wat moet dat prachtig zijn. Er komt weer een diepe rimpel in zijn hoofd. Hij kijkt naar het kleine boompje dat zogenaamd verkocht is. Nu heb ik het eigenlijk al gedaan, denkt Daan. Hij verstopt het boompje achter een paar emmers.

De meneer geeft Daan een gulden fooi: 'Hier voor jou, je bent er al vroeg bij met geld verdienen. Hoe oud ben je eigenlijk?'

'Negen, bijna tien,' knikt Daan. Hij laat de gulden gauw in zijn broekzak glijden. Op gewone marktdagen krijgt hij nooit iets. Maar nu het bijna kerstfeest is, geven de mensen allemaal wel wat.

Daan droomt weer verder over zijn boompje. Hij zou het op zijn eigen kamer kunnen zetten. In jullie kamers zijn jullie zelf de baas, zegt zijn moeder vaak.

'Hé droomkoning, wat heb jij vandaag,' Dick schudt Daan even bij zijn schouders heen en weer. Daan krijgt een rode kleur en begint uitvoerig zijn neus te snuiten.

'Ze verzinnen de gekste dingen met die bomen,' vertelt Dick. 'Gisteren was ik ergens en daar hadden ze allemaal rode voorwerpen in de boom gehangen, oorbellen, doosjes, strikken, veertjes en zelfs een paar rode schoenen. Heb je ooit zoiets geks gezien?'

'Schoenen?' zegt Daan ongelovig.

'Echt waar,' knikt Dick, 'en pas zag ik ergens een boom alleen versierd met wel honderd verschillende vogeltjes. Dat was prachtig, iedereen verzint iets anders. Die bomen doen wat met mensen.'

'Ze ruiken zo lekker naar bos,' zegt Daan. 'Heb jij een boom thuis, Dick?'

'Ik? Welnee jongen. Wat moet ik in mijn eentje met een boom. Als het eenmaal kerstfeest is, kan ik geen boom meer zien. De laatste bomen geef ik voor een zacht prijsje weg. Dan ga ik naar huis. Ik ga lekker op mijn bed liggen en slaap zo de kerstnacht in. De volgende dag ga ik naar mijn zoon, we zien elkaar niet vaak, maar met kerst wil hij absoluut dat ik kom. Mijn zoon heeft wel een boom. Vaak een heel grote met allemaal gekleurde lampjes. Mijn kleinkinderen vinden dat prachtig, ze zitten de hele dag naar die lichtjes te koekeloeren. En jij, Daan? Hebben jullie al een boom?'

'Wij doen nergens aan,' zegt Daan onverschillig, 'mijn ouders zeggen dat het allemaal flauwekul is en zonde van de bomen.'

'Gezellige boel bij jullie,' grinnikt Dick, 'klanten jongen, werk aan de winkel.'

Ze verkopen achter elkaar drie grote bomen en wel zes kleintjes. Daan heeft het kleinste kerstboompje nog verder weggezet zodat het helemaal onzichtbaar achter de kraam staat. Er komt een karretje langs waar grote kannen koffie en chocolademelk op staan. Daan drinkt met kleine slokjes. Het is gezellig druk op de markt aan het worden.

Dick mag niks akeligs over mijn ouders zeggen, denkt Daan. Al houden ze dan niet van kerstfeest vieren, zijn ouders kunnen het allermooiste dansen van de hele wereld.

Daan ligt in bed. Hij heeft de gordijnen wijd open geschoven. Het is bijna volle maan. De zilveren bol maakt zijn kamertje prachtig licht. Daan droomt. Hij klimt op rode schoenen naar de maan. De lucht is plotseling vol met kerstbomen. Boven in de kerstbomen hangen prachtige kerstklokken te tinkelen. Er zijn nergens mensen te zien. Daan loopt helemaal alleen op zijn rode schoenen tussen de kerstbomen in. Maar dan loopt hij niet meer, hij begint te zweven.

'Waar is iedereen?' roept Daan.

Er komt geen antwoord. De klokken tinkelen steeds harder.

'Waarom is er niemand?' roept Daan weer.

Dan beginnen alle kerstbomen te lachen, ze schuddebuiken met hun stammetjes en ze slaan vrolijk met hun takken. 'Kijk dan, kijk dan goed,' roepen ze, 'de mensen hebben altijd de bomen meegenomen, nu nemen de bomen de mensen mee, zie je ze dan niet?'

'Waar dan, waar dan?' vraagt Daan.

De bomen beginnen nog harder te lachen. Dan ontdekt Daan dat in iedere boom hele kleine mensjes zitten. Ze hangen aan de takken, soms aan een arm of een been. Sommigen zitten gehurkt tussen de naalden.

'In iedere boom zit een soort,' zegt een mooie stem, 'kijk dan Daan, daar staat een boom vol schooljuffies en dit is er één met dikke meneren. Hier een boom vol moeders en daar één met stoere vaders. En die grote spar daar, kijk dan, die zit vol met opa's en omaatjes. Er zijn ook kinderbomen.'

'Maar hoe kan dat nou, wie praat er dan, ik zie niemand!' Daan gaat steeds harder roepen, het is een beetje griezelig, al die kleine mensjes. Hij probeert bij de boom met vaders te komen, maar hij kan niet lopen en wordt steeds weer weggezogen.

'Ik spreek,' zegt de maan, 'ik vertel hoe alles in elkaar zit in de wereld. Kijk eens naar die boom Daan, daar woont een heks met engelenhaar. Wanneer je haar hoofd aanraakt en aan haar haren trekt, heb je handenvol engelenhaar om je eigen kerstboom te versieren.'

'Ik wil geen engelenhaar,' schreeuwt Daan. Hij begint bang te worden. 'Waarom praat niemand hier?'

'Alleen de klokken tinkelen,' zegt de maan, 'en de bomen lachen want ze hebben alles omgedraaid. Ik heb het geluid van de mensen even uitgezet. Ze vertellen allemaal hetzelfde kerstverhaal. Het is niet om aan te horen.'

'En ik dan?' roept Daan.

'Jij bent het jongetje van de bomen,' zegt de maan, 'jij mag overal komen.' De maan lacht vriendelijk.

'Maar ik wil niet zweven, ik wil ook in een boom zitten, ik...'

De toverheks komt naar hem toe. Zij begint een heleboel engelenhaar om zijn hoofd te winden. Het wordt steeds meer en meer. Daan raakt helemaal gevangen in al het haar.

'Engelenhaar moet je verkopen,' snibt de heks, 'vind jij het niet mooi, niet mooi. Verkopen moet je.'

'Heeeeelp,' gilt Daan, 'ik wil terug.' Hij probeert zijn rode schoenen uit te schoppen. Dan schrikt hij wakker en zit rechtop in zijn bed. Buiten is de maan half achter een wolk verdwenen. Daan wrijft zijn ogen uit en duikt dan met een diepe zucht weer onder de dekens.

Daan en Dick hebben bijna alle kerstbomen verkocht. Het is nog vroeg in de middag, de dag voor kerst.

'Nog vier,' zegt Dick en wrijft zich in zijn handen, 'dat wordt een vroegertje Daan.'

'Dat kleine boompje koop ik,' zegt Daan stoer, 'ik heb genoeg geld verdiend.'

'En jullie mochten geen boom?'

'Nee, maar ik doe het toch.' Daans stem klinkt heel beslist.

'Dan krijg je die van mij, je hebt me fantastisch geholpen. Ik hoop dat je er geen gedonder mee krijgt. Wie weet gaan je ouders het nog leuk vinden.'

'Ik doe het gewoon,' zegt Daan. 'Kan ik even weg, ik wil heel graag nog wat kaarsjes kopen en standaardjes. Hoef ik echt niet te betalen?'

'Hij is voor jou,' knikt Dick, 'vooruit rennen, anders zijn de winkels dicht.'

Binnen een half uur is Daan weer terug. Dick verkoopt de laatste boom en dan lopen ze samen in de richting van de flat. Daan draagt het kleine kerstboompje tegen zijn buik aangedrukt in beide armen.

Samen staan ze in de lift en bij de derde verdieping gaat Dick eruit.

'Vrolijk kerstfeest Daan.'

'Vrolijk kerstfeest en bedankt voor de boom,' roept Daan. Dick geeft hem een knipoog en dan gaat Daan alleen verder met de lift.

Annemarie en Bert zijn samen thuis. Ze rennen Daan tegemoet en kijken met grote ogen naar het boompje.

'Oh, hoe kom je daaraan? We mogen toch niet,' zegt Annemarie, ze begint opgewonden te springen, 'een kerstboom, een kerstboom, een echte kerstboom.'

'Gaan we hem versieren?' vraagt Bert, 'maar we hebben niks.'

'Ik heb alles,' zegt Daan. Hij voelt zich opeens verschrikkelijk gewichtig. We gaan naar mijn kamer met de boom, want daar ben ik de baas.'

'Daan is de baas, Daan is de baas,' roept Annemarie vrolijk, 'we gaan toch lekker kerstfeest vieren, lekker wel, lekker puh...'

Daan maakt zijn tafeltje naast zijn bed leeg en zet het boompje daarop. Uit zijn zak haalt hij een doosje met kaarsen en standaardjes. Uit de keuken halen ze zilverfolie en beginnen dat in mooie reepjes te knippen. Het boompje flonkert door het zilverpapier. Dan haalt Daan met een plechtig gebaar nog een pakje te voorschijn.

'Ik heb echte versiering,' zegt hij.

'Ohh...' roepen Annemarie en Bert tegelijk.

Er komt een schitterend klokje tevoorschijn, zilverkleurig en met een mooi belletje erin. En daarnaast ligt een glanzend rood vogeltje met een witte pluimstaart.

'Zelf verdiend,' zegt Daan trots en hij zet het vogeltje helemaal in de top van de boom. Het klokje hangt hij in het midden.

'Gaan we de kaarsen branden?' vraagt Annemarie, 'nú, voordat vader en moeder thuiskomen?'

'Nú,' zegt Daan, 'we vieren gewoon kerstfeest met z'n drieën, ze moeten het zelf maar weten. Ze komen pas over een uur thuis.' Voorzichtig steekt Daan de kaarsen aan. Het wordt al een beetje donker in de kamer. De boom staat mooi op het tafeltje voor het raam. In het raam zien ze de kaarsjes nog een keer spiegelen.

Ze kruipen met z'n drieën op het bed. Daan haalt ook nog een zak apenoten en drie repen chocolade te voorschijn.

'Net echt,' knikt Bert tevreden, hij zuigt op zijn reep.

'Helemaal echt,' zegt Annemarie dromerig, 'nou moet je ook nog vertellen, Daan.'

Daan voelt zich vandaag een belangrijke oudste. Hij denkt aan het kerstverhaal dat hij op school heeft gehoord. Maar hij denkt ook aan zijn droom met de lucht vol kerstbomen waarin mensen waren neergezet.

Daan vertelt alles door elkaar. Het wordt steeds donkerder en het bed ligt vol met schillen van de apenoten. Ze zitten dicht tegen elkaar aangeklemd met rode wangen naar Daan te luisteren.

'En die toverheks,' vertelt Daan, 'die had een kop vol engelenhaar, de maan had het geluid van de mensen stilgezet en ik zweefde...'

Ze horen niet dat de deur zachtjes opengaat. Vader en moeder staan samen in de deuropening.

'Alsjemenou...' zegt vader, 'wat heeft dit te betekenen, we kunnen wel brand...'

Maar moeder legt een hand op vaders arm en zegt heel zachtjes: 'Sttt, Daan vertelt, kijk nou hoe mooi ze zitten in dat kaarslicht.'

'Zijn ze nou helemaal gek geworden,' sist vader tussen zijn tanden.

'Laat nou even...' fluistert moeder.

Daans verhaal is uit. Ze zuchten ervan.

'En nu muziek,' zegt Daan en zet het kleine radiootje aan. Er klinkt zachte walsmuziek door de kamer. Dan pas zien ze vader en moeder in de deuropening staan.

Ze schrikken alledrie.

Maar dan gebeurt er iets heel wonderlijks. Vader vergeet te mopperen over het kerstfeest. Hij pakt moeder beet en begint opeens vrolijk te dansen. Ze lachen. Annemarie, Bert en Daan kijken er met grote verbaasde ogen naar.

Ze dansen de gang over, heen en weer. Ze wervelen een rondje en dan gaan ze ook op het bed zitten.

'Het was zo'n mooi gezicht zoals jullie aan het luisteren waren,' zegt moeder.

'Wij vieren toch lekker kerstfeest,' roept Bert opgewonden, 'Daan heeft een heel mooi verhaal verteld en we hebben apennoten en chocolade en...'

'Op mijn kamer ben ik mijn eigen baas,' zegt Daan eigenwijs, 'dat hebben jullie zelf gezegd.'

Dan beginnen ze allemaal verschrikkelijk te lachen net zoals de kerstbomen in de droom van Daan.

Dit is het eerste kerstfeest waarbij er toch een klein boompje in de kamer komt te staan. Het is versierd met maar één klokje, één vogeltje en een heleboel reepjes zilverpapier. En met echte kaarsjes.

Simone Schell

Engel gezien

Ze staan samen in de donkere nacht op een duin. Ze kunnen de zee horen ruisen. Het vriest. Aan het helmgras waartussen hun voeten staan, kleven ijskristallen.

Lot en Jochem spelen kerstnacht.
Over hun nieuwe sneeuwpakken, hebben ze hun dekbedden geslagen. Ze slepen die over het zand alsof het de mantels van herders zijn. Niemand weet dat ze buiten zijn.
Ze hebben eerst samen heel braaf aan de kersttafel gezeten en ook een slokje genomen van de prikwijn. 'Alsof er een engeltje op je tong piest,' zei Lots vader.
Lot was aangekleed als een soort kerstengel met papieren vleugels. Daarin had ze op school meegespeeld in een kerstspel. Jochem droeg een echt vaderoverhemd. Ze zongen kerstliedjes en luisterden naar het kerstverhaal.
En daar verscheen ineens een engel, hoorde Jochem.
'Komt die engel nu ook?' vroeg hij.
Zo gek was die vraag niet.
Op sinterklaasavond kwam Sint-Nicolaas. Met Pasen kwam de paashaas. Aan de kerstman deden de twee families niet. Cadeautjes hoorden niet bij Kerstmis, vonden de Mama's. Die hoorden bij sinterklaas. Kerst had met in God geloven te maken. Maar als die engel toen echt was gekomen, dan kon hij nu toch weer komen, dacht Jochem. Bij kerst moest toch ook iets leuks en echts horen?
Hij vroeg het wel drie keer. 'Krijgen we straks de echte kerstengel te zien?'
'Stil nou,' riep zijn zusje. 'Als jij maar steeds zit te praten dan hoor ik niets.'
'Lot,' fluisterde hij. 'Ik denk dat zo de echte engel komt hoor.'

Lot zat onderuit gezakt op haar stoel en wreef over het randje van haar oor. Gelukkig hield Lot ook niet van prikwijn en van garnalen met roze saus en ook niet van wild dat vroeger een levende haas was geweest. Gelukkig luisterde Lot ook niet verder naar het verhaal. Gelukkig dacht Lot net als hij aan die engel. En hoe het zou zijn als je echte vleugels had en gewoon door de lucht kon vliegen.

'Zullen we buiten gaan kijken?' fluisterde Jochem.

Ze lieten zich onder de tafel glijden. Niemand zei daar iets van. Lot en Jochem waren nu eenmaal de kleintjes. Hun broertjes en zusjes waren de grootjes. Als daar onder tafel niet teveel lawaai werd gemaakt, vond iedereen het wel rustig dat de kleintjes onder tafel zaten.

Maar daar bleven ze niet. Lot en Joch kropen tussen de benen door onder de tafel uit. Ze kropen richting deur en verdwenen door de deur, die ze heel zacht achter zich dichtdeden. Pijlsnel trokken ze hun kleren uit en hun sneeuwpakken aan. En zo verdwenen ze door de buitendeur van het vakantiehuis waar de twee families kerst vierden.

'Dan zijn wij de herders,' zei Jochem. 'En dan zijn we in het veld en dan zien wij de hemel openscheuren. Dan zien we een soort vuurwerk en komt de engel.'

'Ja,' zei Lot. 'Net als in het kerstspel.' Maar die herders hadden een soort cape aan. Daarom trokken ze de dekbedden van hun bedden en sloegen die om hun schouders.

En zo staan ze even later vlak voor de zee, onder een hemel waaraan wel miljoenen sterren kleven.

'Weet je dat sterren kunnen vallen?' zegt Jochem.

'Zogenaamd?' vraagt Lot.

'Nee, echt,' antwoordt Jochem.

'Joch?' zegt Lot. 'Als het niet zogenaamd is, is het dan niet eng als de hemel openscheurt. Valt die ster dan niet op ons? En wat moeten we eigenlijk zeggen tegen die engel?'

'Voor een engel hoef je toch niet bang te zijn,' zegt Jochem. 'Sinterklaas is toch ook niet eng?' Hij wijst naar de zee waarop witte schuimkoppen

mee rollen op de golven. 'Ik denk dat hij zodadelijk op de zee landt. Als hij er is gaan we gewoon gauw naar binnen.'

Lot kijkt naar de sterren. Het lijkt wel alsof het er steeds meer worden. Of het een regen is van sterren. Droom ik nu, denkt ze. Het is net alsof ze droomt.

'We hadden ook schapen bij ons,' zegt Joch. 'Bulkie, Lompie, Hollie! Hier komen,' schreeuwt hij terwijl hij naar de golven gebaart.

Was er vorig jaar nu ook een echte engel? vraagt Lot zich af. Gek, ze kan zich van de vorige kerst niet herinneren dat er een echte engel kwam. Jezus was toch heel vroeger al geboren? Lot bibbert. Het is niet het soort bibberen dat van de kou komt. Het is het soort bibberen van leuk eng, dat begint in je mond en doorkruipt naar je knieën.

'Johjohjohjoch,' zegt ze. 'Zullen we boven voor het raam gaan kijken?'

Maar Joch wil nog even buiten blijven. 'Dat is toch dom?' zegt hij. 'We kunnen nu eindelijk eens een echte engel zien. Weet je wat, we gaan daar boven bij de duinen zitten.'

Ze rollen de dekbedden om zich heen en gaan tegen elkaar aan zitten. Lot geeuwt en steekt haar vingers in haar muts om bij het randje van haar oor te kunnen. Lekker koud is het randje. Het heerlijkste is om zachtjes over een ijskoud randje te wrijven. Ze is moe. Zo moe dat ze haar ogen dicht doet en haar hoofd tegen Jochem aan laat zakken.

'Ik denk dat hij nu komt,' zegt Jochem terwijl hij naar de lucht kijkt.

Lot knikt. Ze moet maar geloven wat Joch zegt. Zeker als ze moe is. Joch wil bovendien toch altijd gelijk krijgen. 'Heb je je ogen dicht?' vraagt Joch, die de zijne voelt prikken. 'Ik vind dit de leukste kerst van mijn hele leven. Nu is het echt stille nacht heilige nacht.'

Lot wrijft met haar handschoenen in haar ogen. 'Dat vind ik ook,' zegt ze. 'Maar mijn ogen prikken.'

'Dat komt van al die sterren,' zegt Joch die ook in zijn ogen begint te wrijven. 'Daar krijg je prikogen van.' Hij wrijft en wrijft en wrijft.

Als hij zijn ogen weer open doet, gebeurt het.

Het lijkt wel alsof de hele zee schittert. 'Lot,' schreeuwt Joch.

Dan springt Lot op en begint te rennen. Ze hoort iets scheuren als ze door de lage struiken springt. 'Lot,' schreeuwt Joch die achter haar aanholt. 'We hebben de engel gezien. We hebben echt de engel gezien. Ik zag de hele zee schitteren. Echt waar. Ik zag het. Jij hebt het toch ook gezien?'

'Ik hoorde de hemel openscheuren,' hijgt Lot.

'We hebben de engel gezien, we hebben de engel gezien,' schreeuwt Joch als ze in de kamer van het vakantiehuis staan.

'We hoorden zo de hemel openscheuren,' roept Lot.

'Zijn jullie naar buiten geweest?' vraagt één van de moeders.

'Wat heb je dan gezien, Joch?' vraagt Jochems zusje met een grote grijns op haar gezicht.

De andere broertjes en zusjes gieren van het lachen. 'Ze hebben een engel gezien. Vloog die gewoon door de duinen? Echt de kleintjes weer hoor. Je hebt zeker veel cadeautjes gekregen van de engel, hè Joch?'

'Het is echt waar,' roept Jochem die ineens begint te huilen. 'Nooit geloven jullie eens wat,' snikt hij met lange uithalen.

Lot begint ook te huilen. 'Nooit geloven jullie eens wat,' herhaalt ze.

Even later liggen ze in het bed van Lots vader en moeder. 'Stomme drollen,' zegt Joch.

'Zeggen ze dat we moe zijn. Altijd zeggen ze dat we moe zijn. We hebben echt de engel gezien, hè Lot?'

Lot antwoordt niet en daarom pakt Jochem haar hoofd en draait het naar zich toe. 'Lot? Doe je ogen eens open?'

Jochem voelt dat Lots schouders zacht bewegen. Even later voelt hij hoe alles aan haar schudt. 'Ik zahag helemaal niks,' schatert ze plotseling. 'En weet je wat er gescheurd is? Mijn dekbed.' Jochem legt snel een hand op haar mond.

'Goeie mop, hè Lot?' giert hij, 'ik zahag eigenlijk ook helemaal niks. Ik denk dat ik sterretjes zag van het wrijven.'

'Ik denk dat sinterklaas toch heel anders is dan de kerstengel,' zegt Lot. 'De kerstengel hoort bij vroeger, toen Jezus was geboren.'

'Maar we hebben wel de stille nacht gezien, hè Lot?' houdt Jochem nog even vol.

'Een soort stille nacht heilige nacht.'

Dan gebeurt er toch nog iets wat op iets engelachtig lijkt.

Plotseling gaat de deur van de kamer open.

Even flitst er een licht door de kamer. Even lijkt het alsof er achter die deur een soort vleugel beweegt. En dan staan er op de vloer bij de deur plotseling twee toetjes waarop brandende sterretjes spetteren.

Alleen: Lot en Joch zien het niet.

'Ah,' zegt een fluisterende stem achter de deur: 'Ze liggen als twee engelen te slapen.'

Van Simone Schell zijn de volgende boeken verkrijgbaar:

Marie Pouceline of de Nicht van de Generaal
Een zeer geheime reiskist
Emilie
De kinderen Joesoepof

Harriet Laurey

Het kerstkonijn

'Kerstengelen? Daar zou ik maar niet op rekenen. Die bestaan niet meer en als ze wél bestaan, dan laten ze zich in elk geval nooit meer zien.

Vroeger ja, in de allereerste kerstnacht... ze maakten de slapende herders wakker en zongen van Gloria en wezen de weg naar de stal van Bethlehem. Maar dat is al bijna tweeduizend jaar geleden en in al die bijna tweeduizend jaar heeft niemand meer een kerstengel gezien.' – Zo praten de mensen.

Ze hebben geen gelijk. Er zijn altijd kerstengelen geweest en er zullen altijd kerstengelen blijven. Maar als je denkt dat die engelen grote ruisende vleugels hebben, als je verwacht dat ze in wuivende witte kleren uit de hemel komen aanzweven, ja, dan zul je er wel nooit één ontmoeten.

Want de kerstengelen van onze aarde lopen gewoon rond, net als iedereen. Je bent er vast en zeker wel eens een tegengekomen zonder dat je het wist. En hoe moest je ook weten dat het een kerstengel was, die daar voorbijging? Misschien wist die engel het zelf niet eens; dat is heel goed mogelijk. Als je niet geloven kunt, moet je maar luisteren naar het verhaal van Thomas, het verhaal van het kerstkonijn, in ieder geval: een kerstverhaal.

Thomas was een jongetje dat wist wat hij wilde. En meestal deed hij dat ook. Dat was nog wel eens moeilijk, want Thomas had allang gemerkt dat grote mensen vaak heel andere dingen wilden dan hij. Maar dan bedacht hij een plannetje. Hij was een geweldige plannetjesbedenker. Met het laken over zijn hoofd, zijn oren en ogen stijf dicht, dacht hij na. Over wat hij zelf wilde en over de dingen die de grote mensen wilden. En over het verschil daartussen. Haast altijd wist hij wel iets te verzinnen waardoor dat verschil kleiner werd, zo klein, dat het eigenlijk niet meer opviel.

Maar overdag hield hij zijn ogen en oren wijd open.

Zo zagen zijn ogen het konijn.

Het stond bij de groenteboer, achter op het plaatsje in een groen ge-schilderd traliehok. Als de achterdeur van de winkel open stond, zag je het zo.

'Mag ik er even naar kijken?' vroeg Thomas. 'Zal ik buitenom gaan, door het gangetje?'

'Loop maar door de winkel,' zei de groenteboer. 'Het gangetje staat vol kisten.'

Het konijn was groot en mooi en lief. Helemaal grijs, behalve zijn witte neus en pootjes. Het snuffelde aan Thomas' vingers, zette zijn voorpootjes tegen de tralies, duwde zijn neus ertussen. Thomas voel-de zich verlegen met zijn lege handen. 'Wacht maar, ik haal wel wat,' zei hij en liep terug naar de winkel.

'Mag ik 'm wat geven. Hij heeft honger.'

'Honger? Haha, honger!' De groenteboer lachte, maar het klonk hard en kort en Thomas schrok ervan. 'Dat beest vreet de godganselijke dag.'

Maar hij graaide toch een wortel uit de kist. 'Laat-ie maar vreten, da's goed voor 'm.'

Thomas zag hoe hij knipoogde naar een mevrouw bij de toonbank: die lachte wat, en haalde haar schouders op. 'Toch zielig,' zei ze. Toen was het even stil, een vreemd, koud ogenblik lang; het was niet te be-grijpen voor Thomas, maar het maakte hem wel ongerust.

Nu ging hij voortaan elke dag naar het konijn. De groenteboer knik-te dat hij door mocht lopen zogauw hij de winkel binnenkwam. Het konijn wipte rusteloos achter de tralies heen en weer, zogauw het hem aan zag komen. En op een zaterdagmiddag, toen de winkel vol klanten stond, hoorde Thomas wat hij nooit had willen horen.

Hij had het konijn wat groen gegeven en moest nu tussen de mensen doordringen om weer op straat te komen. De groenteboer zag hem niet, dacht zeker dat hij al buiten was. Maar al was hij dan klein, on-zichtbaar haast tussen de grote mensen, hij had zijn oren wijd open. En die hoorden wat de groenteboer zei: 'Dat zal me 'n klap geven, straks, voor dat kereltje. Ik bedoel, met Kerstmis, als dat konijn de pan in gaat!'

De pan in gaat...

De pan in gaat!

Met trillende lippen herhaalde Thomas die vreselijke woorden en probeerde het te begrijpen en probeerde het níét te geloven. Maar hij wist dat het waar was. Alles werd nu duidelijk: het harde, haast spottende lachen van de groenteboer en die mevrouw, die 'Toch zielig' gezegd had.

'Ik ben bang dat er niets aan te doen is,' zei Thomas' vader. 'Mensen eten nu eenmaal konijn. En sommige mensen kopen er een, als het nog klein en goedkoop is, alleen om het vet te mesten en op te eten.'

'Ga er maar niet meer heen,' zei Thomas' moeder. 'Je maakt het jezelf alleen maar moeilijker, als je het steeds ziet. En je kunt er toch niets aan veranderen.'

Maar Thomas ging er wel heen, elke dag. Terwijl hij het groen door de tralies schoof, sprongen de tranen in zijn ogen, van verdriet en van schaamte. Want hij schaamde zich. Hij schaamde zich omdat híj wist wat er gebeuren ging, en het konijn niet. Omdat híj, die zoveel van het konijn hield, niets kon doen om het te redden. Het was of hij zelf schuldig was, alleen maar omdat hij het elke dag kwam voeren. Maar wegblijven kon hij helemaal niet, dat zou nog erger zijn en het konijn zou het niet begrijpen.

'Ik móét iets bedenken,' zei Thomas elke avond tegen zichzelf. Dan trok hij het laken over zijn hoofd, kneep zijn ogen dicht, en duwde zijn handen tegen zijn oren. Hij was toch zeker een echte, geweldige plannetjesbedenker. De groenteboer wilde lekker eten met Kerstmis en hij hield wel van konijn. Maar Thomas wilde het konijn laten leven, want hij hield écht van het konijn, van dit konijn en van alle andere.

Het verschil tussen hem en de groenteboer was té groot.

Te groot?

Nog drie weken voor Kerstmis, nog twee, nog één...

Het was woensdagmiddag, de dag voor Kerstmis, en de meeste winkels waren al dicht. Ook de winkel van de groenteboer. Er brandde licht in de etalage, maar alles was er stil en de grote vrachtwagen, die altijd voor de deur stond, was weg.

De hele dag was de hemel grijs geweest en het was koud. En nu het donker inviel, begon het te sneeuwen. Eerst zacht, met dunne vlokken die verdwenen zogauw ze de grond raakten. Maar toen werden de vlokken groter en dikker, steeds dichter op elkaar dwarrelden ze omlaag.

De torenklok sloeg en Thomas telde. Vijf uur, hij moest allang naar huis. Maar daar kon hij nu niet aan denken. Al twee keer was hij langs de groentewinkel gelopen, nu was het de derde keer en er was niets te horen, niemand te zien. Het smalle gangetje, dat opzij langs de groentewinkel liep, was diep en zwart.

Thomas haalde diep adem en schoot het donker in. Met zijn linkerhand voelde hij langs de stenen om te weten waar de winkelmuur ophield en de houten schutting begon. Want achter de schutting was het plaatsje. En op het plaatsje stond het konijn.

Nog voor hij de schutting voelde, struikelde hij al. O ja, de kisten. Er stonden hier altijd lege kisten opgestapeld, sommige lagen los over de grond. Voorzichtig zette hij nu de ene voet na de andere, klom over de kisten waar de doorgang versperd was en toen was daar de schutting. Er was een poortje in, dat wist hij, maar het had alleen een grendel aan de binnenkant; van buiten kon je het niet openmaken.

Wat was het stil, het was net of de sneeuw alles nog veel stiller maakte. Zo zacht hij kon, zette hij een paar kisten op elkaar, voelde of het stevig stond. Toen klom hij erop en hees zich over de schutting. Met een doffe plof stond hij op het plaatsje. Zijn handen waren koud en stijf en zijn hart bonsde. Als hij nu gezien werd, zouden ze denken dat hij een dief was.

Maar hij was geen dief. Hij voelde in zijn jaszak of hij niets verloren was bij het springen, nee hij was er nog, zijn portemonnee, helemaal dik en bol.

Nu hoorde hij het gekrabbel aan de tralies, het ritselen van het stro.

'Ik ben er, ik kom je halen, je hoeft niet dood,' fluisterde Thomas in één adem. Hij schoof de houten blokjes weg van het tralieluik en zette het met één hand op de grond; met de andere hield hij het snuffelend konijn vast.

Toen nam hij het in zijn armen en drukte het tegen zijn wangen en kuste het op zijn neus. Een ogenblik lang stond hij daar, zijn natte gezicht in de warme grijze vacht; hij dacht aan niets, hij was alleen maar gelukkig.

Maar het konijn rilde en schudde zijn oren en Thomas wist weer waar hij was en wat hij doen moest. Hij haalde zijn portemonnee tevoorschijn en schudde die leeg in het hok, op de plek waar het stro platgedrukt lag, met kleine grijze plukjes vachthaar ertussen. Guldens, kwartjes en dubbeltjes, zijn zakgeld van vijf weken.

Het konijn rilde weer en Thomas stopte het onder zijn jas en hield het dicht tegen zich aan. Opeens had hij haast om hier weg te komen. Het poortje door, over de kisten, het donkere gangetje uit. En toen, op een holletje, de straat uit, de bosweg op. Aan de rand van het stille, besneeuwde bos zette hij het konijn op de grond.

'Nou ben je vrij. Nou moet je verder voor jezelf zorgen, net als de andere boskonijnen. Niemand mag er iets van weten, begrijp je?'

Het konijn ging op zijn achterpoten zitten en spitste zijn oren. Nog even keek het naar Thomas omhoog, toen begon het driftig te snuiven en opeens schoot het vooruit, tussen de bomen, het donkere winterbos in.

Thomas zuchtte, draaide zich om en liep de bosweg op naar huis.

Aan de andere kant van het bos woonde Katrientje. Ze kende er alle paden en paadjes, de bomen, de struiken en de dieren. Groot was het niet, het bos, maar toch juist groot genoeg om bijna in te verdwalen 's zomers, als het wilde groen de smalle weggetjes overwoekerde. Maar nu was het winter, de bomen en struiken stonden kaal, hun takken lichtgebogen onder de sneeuwlaag. Er was geen enkel geluid.

Katrientje hield van het bos, als het zo stil stond in de sneeuw, alsof het ergens op wachtte, alsof het met ingehouden adem ergens op wachtte. Het hoorde bij Kerstmis, dat witte, wachtende bos.

En Kerstmis, dat was morgen. Het stalletje stond al op het tafeltje naast de geurende boom die ze vanavond zouden versieren. De ster in de top het laatste. En dan de kaarsen aan en samen zingen. Het was misschien wel de heerlijkste avond van het hele jaar, dacht Katrientje.

Ze schoof de overgordijnen opzij en keek naar het grote huis aan de overkant van de weg. Daar brandde de kerstboom al. En er lagen pakjes onder, dat wist ze. Voor het kleine jongetje en voor zijn nog kleinere zusje. Net als het vorige jaar. 'Kijk 's dat hebben de engeltjes meegebracht,' hadden de kinderen gezegd. Maar Katrientje wist heel goed dat het niet waar was.

Er kwamen geen engelen hier in de kerstnacht en ze brachten al helemaal geen pakjes. Haar kon het niet schelen; ze hoefde met Kerstmis geen cadeautjes om het fijn te hebben. Tenminste, nou ja… Eén wens had ze wel, die had ze al zo lang. Een hondje, voor haar alleen of een poesje, zo'n kleintje; iets om te knuffelen, om mee te spelen, om tegen te praten als ze alleen was. 'Je hebt toch een heel bos vol dieren,' zeiden haar vader en moeder. Maar dat was niet hetzelfde.

Het zou anders wél heerlijk zijn, als er kerstengelen bestonden. Zo een, die opeens uit het witte bos tevoorschijn kwam en dan iets onder zijn grote vleugel vandaan haalde, iets wat bewoog, wat blafte of miauwde…

'Katrientje!' riep haar moeder uit de keuken. 'Haal even wat aanmaakhout uit de schuur, dan steken we straks de open haard aan.' Katrientje liet het gordijn zakken en liep, nog half in gedachten, naar de achterdeur.

Het was net of ze daar gekrabbel hoorde aan de buitenkant en met haar hand aan de klink bleef ze staan luisteren.

Het was er, duidelijk!

Opeens voelde ze zich helemaal warm worden van verwachting. Ze rukte de deur open en bukte zich.

Aan haar voeten zat een groot, grijs konijn. Het had een witte neus en witte voetjes. Het snuffelde aan haar schoenen, zette aarzelend een pootje op de drempel en schoot toen de warmte van het huis in. Bij de kamerdeur keerde het zich om; het keek naar Katrientje, die sprakeloos zat neergehurkt en toen vloog het konijn regelrecht in haar uitgespreide armen.

'Hij lijkt wel tam,' zei vader. 'Kijk maar, hij is helemaal niet schuw.'
'Hij is uitgehongerd,' zei moeder. 'Katrientje, haal nog eens wat andijvie uit de kelder en een winterwortel, een grote.'
'Hij is van mij, hè? Ik mag hem houden, hè?' zei Katrientje alleen maar.
Haar moeder glimlachte en haar vader knikte.
'Zo'n duidelijk kerstgeschenk, dat kan toch niemand weigeren,' zei hij.
'Je zou bijna geloven, dat er toch kerstengelen zijn.'
'Bijna?' vroeg Katrientje.

Van Harriet Laurey zijn de volgende boeken verkrijgbaar:

Verhalen van de spinnende kater
Hopla het feestvarken
Tovertje Konijn en Haasje Repje
Poezenversjes

Mies Bouhuys

Het laatste verhaaltje

In de stad was het druk; overal liepen mensen die van ver kwamen en naar huis terugkeerden om oud jaar te vieren. Maar buiten de stad was het stil, zó stil dat je de sporen in de sneeuw op de wegen volgen kon. En dat was niet zo moeilijk, want het kleine roodborstje dat op zoek was naar een spoor, zag er maar één. Het was een spoor van twee voeten, die een beetje geschuifeld hadden waar ze liepen. Heel moeie of oude voeten.

'Fiet fiet...' zei het roodborstje tegen zichzelf, 'het kan nooit moeilijk zijn om iemand die zó loopt in te halen. Kom, Robijntje,' (zo noemde het vogeltje zichzelf) 'ga er achteraan!'

Het spreidde zijn vleugeltjes en als een rood vlammetje schoot het weg onder de grijze lucht en begon de mensensporen in de sneeuw te volgen. Het roodborstje vloog en vloog, maar de voeten hadden toch vlugger gelopen dan het dacht, want nog steeds zag het de mens die bij die voeten moest horen niet.

'Het lijkt wel of die voeten naar het eind van de wereld willen gaan,' hijgde het nieuwsgierige roodborstje, 'net of ze het niet meer op konden brengen en weg moesten. Weg, weg van alle mensen.'

Het liefst was hij teruggevlogen, maar tegelijk was Robijntje zo nieuwsgierig dat hij toch doorvloog. Toen de weg, met nog altijd het spoor van de voeten in de sneeuw, door het bos slingerde, zag Robijntje in de verte een zwarte stip. Eindelijk! Daar was de man die zo lang en zoveel gelopen had.

Robijntje zette nog wat meer vaart en streek hijgend neer op de hoed van de man. Omdat Robijntje maar een heel klein vogeltje was, merkte de man het niet eens en kon Robijntje hem eerst eens goed bekijken voor hij een gesprek begon.

De man was héél oud; dat zag je aan zijn gebogen rug en zijn lange grijze baard en haar. Eerst dacht Robijntje dat de oude man zuchtte, maar toen hij was uitgehijgd hoorde hij dat de oude man zachtjes in zichzelf praatte.

'Eén verhaaltje,' zei hij, 'één verhaaltje nog maar! Waar haal ik dat nou toch vandaan? Ze laten me vast niet binnen als ik mijn laatste verhaaltje niet heb. O, o, wat moet ik doen? Dat dát me nou op de laatste dag nog moet overkomen!'

'Sta toch eens stil, oude meneer,' floot het roodborstje.

De oude man keek verschrikt om zich heen in het kale bos, maar waar hij ook keek, nergens zag hij iets tussen de takken en struiken. Hij haalde zijn schouders op en mompelde: 'Je hebt het je maar verbeeld. Denk liever over je verhaaltje.'

'Hier ben ik,' floot het roodborstje, 'ik ben Robijntje en ik zit op je hoed!'

Voorzichtig zette de oude man zijn hoed af en ja, daar zag hij Robijntje. Het kleine vogeltje zat in het kuiltje van zijn hoed als in een nestje en keek hem met glinsterende oogjes aan.

'Hoe kom je daar?' vroeg de oude man, 'woon je hier in het bos?'

'Welnee,' zei het roodborstje, 'ik woon overal waar mijn nieuwsgierigheid mij brengt. Ik ben het nieuwsgierigste vogeltje van de wereld, zie je. En toen ik sporen in de sneeuw zag, ben ik je nagevlogen. Maar tjonge, dat viel niet mee. Vertel eens waar je naartoe moet, oude man.'

'Kunnen we er niet even bij gaan zitten?' zei de oude man en hij wees naar een omgevallen boom.

'Tuurlijk,' zei het roodborstje eigenwijs en het wipte van de hoed op de hand van de oude man. 'Vertellen!' riep het toen ze zaten, 'niets is zo heerlijk als vertellen!'

De oude man lachte. 'Weet je wat er in die tas zit?' zei hij en hij wees op een grote dikke tas die hij in zijn hand had.

'Tsjonge,' zei het roodborstje weer en zijn oogjes gingen over de tas die helemaal bol stond, zoveel zat erin.

'Nou raad eens,' zei de oude man.

'Ik weet het niet,' zei Robijntje, 'misschien wel oliebollen. Daar loopt vandaag iedereen mee rond.'

De oude man schudde zijn hoofd. 'Nee,' zei hij, 'geen oliebollen.

Driehonderdvierenzestig verhaaltjes zitten er in die tas.'

Het snaveltje van het roodborstje ging wijd open. 'Driehonderdvieren-zestig,' zuchtte het. 'Ik wist niet eens dat er zoveel verhaaltjes beston-den!'

De oude man knikte langzaam met zijn hoofd en hij lachte niet meer. 'Tja,' zei hij, 'het is veel. Het is verschrikkelijk veel. Dat merk ik nu ook.'

'Maar waarom sjouwt u ermee langs de weg?' vroeg het roodborstje. 'Waarom gaat u er niet fijn mee in een grote stoel zitten en eruit voorlezen?'

'Dat kan niet,' zei de oude man met een zucht. 'Dat kan niet, omdat ik het Oude Jaar ben. Dit is mijn laatste dag tussen de mensen. Vannacht als de klokken gaan luiden, moet ik zijn waar de wereld ophoudt. Daar staat een huis waar alle Oude Jaren wonen. Ik klop aan en zeg: hier ben ik.'

'En dan mag je natuurlijk meteen naar binnen,' floot Robijntje.

'Nee, nee,' zei het Oude Jaar. 'Dan doen de andere oude jaren, die met z'n allen in de gang wachten, een klein luikje in de deur open en vragen: heb je al je verhaaltjes, Oud Jaar? Laat ons de tas maar eens zien. Nou, dan schuif ik mijn tas door het luikje en ze kijken en tellen. Iedere dag die ik beleefd heb, is een verhaaltje geworden. Een verhaaltje over het eerste sneeuwklokje, over vogels, bloemen, mensen die ik gezien heb, torens waarin ik heb gewoond, zeeën waarop ik heb gevaren en bergen die ik beklommen heb. Eén verhaaltje over elke dag.'

'En dan?' vroeg het roodborstje, 'als ze gezien hebben dat alle verhaaltjes er zijn? Wat gebeurt er dan?'

'Dan,' zei het Oude Jaar, 'dan laten ze me binnen en als de deur achter me dichtvalt, ben ik zelf een verhaal geworden en mag ik in een grote stoel gaan zitten en voorlezen uit de blaadjes in mijn tas.'

'Wat heerlijk,' zei het roodborstje, 'o, wat heerlijk! En doen alle andere Oude Jaren dat ook?'

'Ja,' knikte het Oude Jaar, 'en daarom zijn er zoveel verhaaltjes dat we nooit uitgelezen raken. Voor we het weten komt er alweer een nieuw Oud Jaar binnen, ook weer met een tas vol verhaaltjes.'

'Wat verrukkelijk,' zuchtte het roodborstje, 'kunt u mij niet meenemen? Ik zou alleen maar heel stil op de leuning van uw stoel willen zitten en over uw schouder meelezen. En eten hoef ik haast niet. Ik heb maar zo'n klein maagje.'

Het Oude Jaar keek somber. 'Ik zou best willen,' zei hij, 'maar het erge is dat ik nog niet weet óf ik er wel in mag. Ik mis nog één verhaaltje, zie je. Ik moet driehonderdvijfenzestig verhaaltjes hebben, maar het laatste heb ik nog niet. Over vandaag is niets te vertellen. Alleen maar dat de weg naar het huis voor Oude Jaren verschrikkelijk lang is. Meer niet. O en ik ben zo moe! Ik zou verschrikkelijk graag willen uitrusten in die mooie grote stoel die op me staat te wachten. Maar ik ben bang dat ik buiten op een bankje zal moeten blijven zitten tot ik het laatste verhaal gevonden heb. De andere Oude Jaren zijn heel secuur met tellen.'

Het Oude Jaar zuchtte diep en het roodborstje kreeg steeds meer medelijden met hem. Maar omdat het altijd zo nieuwsgierig was geweest en daarom zo veel gehoord en gezien had, was het tegelijk een heel eigenwijs roodborstje. Opeens begonnen zijn oogjes te stralen.

'Ik héb het!' floot het. 'Loop maar gauw door, Oud Jaar. Je zult niet buiten op een bankje zitten, maar in je eigen zachte stoel. Kom mee!'

Met het roodborstje op zijn hoed liep het Oude Jaar verder en het leek net of door de liedjes die Robijntje voor hem zong, de weg minder lang en eenzaam was. In de verte zagen ze de lichtjes van het huis voor Oude Jaren en achter hen begonnen de klokken te luiden. 'Het is zo ver,' fluisterde het Oude Jaar tegen het vogeltje boven hem. Hij klopte op de poort van het huis voor Oude Jaren. Achter de deur hoorde je de stemmen van de ander jaren al.

'Wie is daar?' riep het jaar Nul, want hij was de oudste.

'Ik ben het jaar dat vandaag Oud Jaar wordt,' riep de oude man terug.

'Heb je al je verhaaltjes?' vroeg de stem achter de deur.

'Zeg maar ja,' fluisterde Robijntje op zijn hoed.

'Ja,' zei het Oude Jaar met trillende stem. Tegelijk vloog het luikje open en het jaar Nul stak zijn hand naar de tas uit.

Robijntje vloog van de hoed en ging op de tas zitten. 'Ik ben Robijntje,' floot hij, 'ik ben verhaaltje nummer driehonderdvijfenze-

stig. Ik heet: het roodborstje dat met het Oude Jaar meekwam.'
'Heel goed,' knikte het jaar Nul en meteen vloog de deur open en brachten alle andere Oude Jaren het laatste Oude Jaar naar zijn stoel. En op het ogenblik dat het roodborstje op de leuning neerstreek, wezen de klokken over de hele wereld twaalf uur. Het Oude Jaar legde zijn hoofd tegen de zachte kussens van zijn stoel en zuchtte diep. Hij was een verhaal geworden.

Van Mies Bouhuys is verkrijgbaar:

Op een versje het jaar door